JANINE SAINE

Wineries de
Californie

Un art de vivre en 50 recettes

Photographie **CHRISTIAN LA**

Guy Saint-Jean
ÉDITEUR

Table des matières

Fetzer 16

Kendall-Jackson 32

E. & J. Gallo 46

À la mémoire de mon père et de ses vignes en Ontario.

L'idée de ce livre sur la Californie a pris naissance lors d'un voyage en Italie où je mettais la dernière touche à un premier ouvrage sur la Sicile. À la vitesse d'un éclair, j'ai senti que cette terre promise de l'Ouest américain méritait de se joindre à la présente collection portant sur l'art de vivre.

Grâce aux encouragements et au soutien que m'ont prodigués Claudette Dumas Bergen et Rick Slomka de l'Institut des vins de Californie, ce rêve s'est prestement réalisé.

À toutes les wineries participantes et leurs agences respectives au Québec, je dis merci pour leur précieuse collaboration : Fetzer et Charton Hobbs, Gallo, Kendall-Jackson et Le Marchand de Vin, Arrowood et Maxxium, Beringer et Les Vins Philippe Dandurand, L. M. Martini, R. H. Phillips et Atlas. Également, merci au San Francisco & Visitors Bureau.

Je salue particulièrement Geneviève Coderre, Caroline Bailey, Maria Allan, Patty Mullins, Lise Dupont, Sylvain Brizard, Megan Greene, Louis Boisclair et Steve Crosta pour la confiance qu'ils m'ont accordée.

À tous les chefs passionnés et passionnants de ces domaines réputés, qui ont compris que la cuisine ne peut être dissociée du vin, et à tous ces winemakers qui œuvrent en synergie avec ces artisans, bravo pour votre patience, votre créativité et votre sens de l'humour.

De plus, je désire souligner l'importante recherche que Marisa Churchill, chef pâtissière et journaliste gastronome à San Francisco, a accomplie en fouillant dans les registres historiques de la cuisine californienne.

Une pensée amicale au journaliste Richard Stirling, à Chantal Raymond et à Nicole Barrette-Ryan, directrice de la revue Vins & Vignobles *publiée au Québec, pour leur générosité à mon égard.*

À mes filles Virginie, Noémie et Florence, et à Pierre Rollin, merci de m'avoir soutenue dans la concrétisation de ce rêve californien.

Vivre le rêve californien

Aussi longtemps que le soleil, la liberté et la joie de vivre demeureront des leitmotiv incontournables du sud-ouest américain, le mythe du rêve californien survivra par-delà les modes.

Parmi tous les courants philosophiques qui ont émané des années 1960 et 1970 et qui ont eu maintes influences internationales, survit encore, de nos jours, un *modus vivendi* californien caractérisé par des innovations peu communes, qu'elles soient d'ordre spirituel, artistique, technologique, etc.

Lors de mes nombreux séjours dans cette région, la Californie m'est toujours apparue comme un pays dans un pays, à l'image d'une locomotive entraînant des wagons d'idées avant-gardistes qui circulent à travers le monde.

L'un des exemples les plus manifestes touche les sphères de la gastronomie et de la production vitivinicole. En quelques décennies, que de progrès, de mouvement, de curiosité et surtout, de recherche !

À travers le présent ouvrage aux saveurs alléchantes, je vous convie à la découverte de la table californienne, témoignage percutant d'une nouvelle génération ayant à cœur le fondement de la terre et des richesses qui en découlent. Tour à tour, les chefs, œnologues et producteurs des sept *wineries* que j'ai sélectionnées dans les régions de Mendocino, Sonoma, Napa et Central Valley nous révèlent, au fil de leurs créations, le dynamisme et la fierté qui les habitent. Grâce à la vision de ces femmes et de ces hommes, la Californie septentrionale continuera d'inspirer un art de vivre où le rêve peut encore devenir réalité.

Have a nice trip !

Janine Saine

- Mendocino

Central Valley •
Sonoma •   • Napa

• BERKELEY
SAN FRANCISCO •

CALIFORNIE

L'histoire **vinicole** de la Californie

Sous le soleil qui illumine la beauté sauvage des paysages californiens et bien avant l'apparition de l'homme blanc, vivaient des tribus originaires d'Asie et de Polynésie, qui se nourrissaient avec délectation de la chasse, de la pêche et des fruits de la nature.

Même si aucun manuscrit ne précise la date exacte de la découverte du terroir de la Californie, surnommée le *Golden State*, on en trouve curieusement une charmante allusion dans l'œuvre du romancier espagnol Garcia Ordóñez de Montalvo publiée en 1510 et intitulée *Las Sergas de Esplandián* :

« Sachez donc qu'à la droite des Indes, se trouve une île appelée Californie, toute proche du paradis terrestre ; elle est peuplée de femmes noires, à l'exclusion de toute présence masculine, car elles vivent à la manière des amazones… Leur île est la plus impressionnante du monde, avec ses falaises escarpées et ses rives rocheuses. Leurs armes sont en or, de même que les harnachements que portent les montures qu'elles dressent et chevauchent. Car sur l'île, il n'est d'autre métal que l'or. »

Ce récit relève-t-il de l'imaginaire d'un auteur excentrique ? Avait-il aperçu de loin la Californie ou en avait-il déjà foulé le sol ? Peu importe, car il narre l'existence d'un jardin d'Éden à la nature luxuriante, habité par des peuplades qui semblaient avoir trouvé leur bonheur. Et il n'avait pas tort.

De cette période jusqu'à 200 ans plus tard, les explorateurs, fussent-ils espagnols, portugais, britanniques ou russes, découvrent les baies californiennes et certains y accostent pour implanter des comptoirs commerciaux, sans vraiment imposer leur présence. Il faudra attendre l'année 1769, qui marque l'arrivée des missionnaires franciscains espagnols — via le Mexique —, qui seront à l'origine de la fondation de multiples missions s'échelonnant de San Diego à San Francisco. Malheureusement, l'objectif de ces missions ne s'arrêtait pas seulement à défricher la terre, mais visait la conversion des Amérindiens autochtones à la religion catholique, voire à « l'éthique de leur civilisation ». C'est une période tragique pour ces peuplades, marquée par des insurrections sévèrement réprimées et par la propagation de maladies infectieuses qui déciment plusieurs de leurs membres.

Heureusement, on assiste pendant cette période à la plantation d'oliveraies et de vergers et à la naissance de troupeaux d'élevage. Mais, fait plus conséquent, grâce à l'initiative de ces « envoyés » de Dieu, un premier vignoble californien apparaît. En effet, la messe ne pouvant être célébrée sans vin, un premier cépage est planté, le « Mission ». D'origine espagnole et importée en Amérique par les conquistadores, cette variété de vigne sera pendant 100 ans l'une des plus cultivées en Amérique.

Du nord au sud, la viticulture californienne connaît un essor formidable, et plus particulièrement autour des années 1850, au moment où la Californie est conquise par les États-Unis.

C'est également l'époque de la ruée vers l'or, qui amène une immigration européenne remarquable. Un Hongrois du nom d'Agoston Haraszthy aura alors une influence déterminante sur l'avenir de la viticulture californienne. En effet, il crée un vignoble à proximité de Sonoma et y importe plus de 165 variétés de vignes. « La

UN CLIMAT EXCEPTIONNEL

Généralement, les étés du nord de la Californie sont secs et chauds et les hivers, doux et humides. Les brumes engendrées par les courants du Pacifique viennent tempérer la chaleur des vallées. L'existence de plusieurs microclimats et les écarts de température, chaude le jour et froide la nuit, permettent de ralentir le cycle de maturation du raisin.

LA *WINERY* CALIFORNIENNE

Typiquement californien, le mot *winery* demeure intraduisible, alors qu'ailleurs on utilise plutôt, château, clos ou domaine. Les établissements vinicoles du nord de la Californie se démarquent par l'originalité et le modernisme de leur design qui s'intègre joliment au paysage viticole. Généralement ouvertes au public, les *wineries* sont pourvues d'une salle de dégustation. Certaines offrent des cours de cuisine où l'harmonisation des vins et des mets est mise en valeur. Sises à quelques heures de San Francisco, ces dynamiques maisons de vin invitent à la connaissance de la vigne et à la dégustation du vin.

Californie peut produire des vins aussi nobles et généreux que l'Europe, dira-t-il, avec un meilleur rendement à l'hectare et sans les échecs répétitifs liés au gel, aux pluies d'été et à la grêle. » (*Strong Wine, the life and the legend of Agoston Haraszthy*, Brian McGinty, Stanford University Press 1998.)

Pourvue de plus de 800 *wineries*, la viticulture californienne est à son apogée de 1860 à 1880, puisque dans presque toutes les régions, on cultive la vigne avec une sélection de plus de 300 variétés de vinifera (espèce européenne la plus employée en viticulture).

Mais le dynamisme vitivinicole ne dure qu'un instant, puisque deux événements historiques perturberont cette industrie. Dans les années 1880, l'invasion du phylloxéra (parasite de la vigne) fait rage et dévaste la plupart des vignobles californiens. Plus tard, de 1919 à 1933, la prohibition est décrétée, interdisant la vente et la consommation d'alcool, exception faite du vin de messe ou de l'utilisation de boissons alcoolisées pour des fins médicales,

ce qui entraîne une diminution radicale des plantations et une baisse de la qualité du vin.

Il faudra attendre les années 1980, presque cinquante ans plus tard, pour assister à la renaissance de l'industrie vitivinicole californienne. Aujourd'hui, le « Golden State » peut se réjouir, puisqu'il produit plus de 90% de la production américaine de vins. Il est le quatrième producteur mondial de vin, comptant plus de 900 *wineries* qui produisent plus de 3 milliards de bouteilles annuellement.

L'histoire **culinaire** de la Californie

Il faut remonter à plus de 100 ans en arrière pour retrouver les racines de la cuisine californienne que l'on qualifie de nos jours de « nouvelle cuisine » ou de « cuisine fusion ». Il est évident que l'établissement des missions à travers la Californie a exercé une énorme influence sur l'expansion de l'agriculture et de l'élevage. Elles ont été à l'origine de la venue de plusieurs nouveaux produits tels le raisin, l'huile d'olive, les oranges, les prunes, le lait, le fromage, etc.

Mais c'est grâce à la publication de livres que l'on peut véritablement connaître les méandres de l'histoire culinaire californienne. Le premier livre de cuisine retracé, *How to Keep Husband or Culinary Tactics*, a été publié en 1872 par les membres d'une église anglicane à San Francisco ; son titre attise inévitablement l'ironie. Malgré tout, il a le mérite de relater des recettes originales, telles que des rôtis, une soupe à la tête de veau, du « catsup » aux champignons, des marinades de prunes et de raisins, un flan espagnol au vin blanc et des poudings au citron ou à l'orange.

Abbey Fisher, une esclave affranchie, a été la première femme américaine d'origine africaine à publier un livre de cuisine, en 1881, *What Mrs. Fisher Knows about Old Southern Cooking : Soups, Pickles, Preserves, Etc*. Cet ouvrage a récolté deux mentions d'honneur au San Francisco Mechanics Institute Fair en 1880. Sans doute que ses recettes *comfort food* ont dû influencer moult chefs californiens.

Un grand mérite revient aussi à H. J. Clayton, traiteur réputé de San Francisco, qui publie, en 1882, *Clayton's Quaker Cookbook*, dans lequel il incite les consommateurs à se procurer des denrées chez les petits fermiers et, par le fait même, à les encourager. Au-delà de ses recettes

de bœuf, de dinde et de canard, d'huîtres et de betterave concoctée au beurre et citron, il fait preuve d'un avant-gardisme qui, de nos jours, ferait de lui un leader incontesté de la gastronomie du terroir.

Quant à Jules Arthur Harder, chef de cuisine au Palace Hotel de San Francisco en 1885, il est qualifié de pompeux avec son ouvrage intitulé *The Physiology of Taste : Harder's Book of Practical American Cookery*. Pourtant, il y fait notamment l'apologie de la laitue, qu'elle soit braisée, blanchie, frite, en purée ou gratinée, et la présente même comme potion magique pour soigner les maux d'estomac ou calmer les nerfs.

En 1914, Clarence Edwards écrit *Bohemian San Francisco : Its Restaurants and Their Most Famous Recipes*, dans lequel il relate que San Francisco est la Mecque des fins gourmets, où cohabitent une myriade de cultures qui, nichées au fond de ses collines, en font une cité à l'épicurisme international.

Une jolie anecdote marque l'année 1932. Pour mousser la popularité décroissante de l'avocat, un groupe de producteurs qui avait surnommé ce fruit « Calavo » lui dédie le livre *The New Calavo Hostess Book*. Des recettes alléchantes sur ce fruit dont la réputation n'est plus à faire !

Les années 1960 ont été parmi les plus marquantes de la gastronomie californienne. Alors qu'un vent de révolution souffle à l'Université Berkeley, située en face de la baie de San Francisco, une jeune femme originaire du New Jersey révolutionnera les esprits en matière de gastronomie. Quand Alice Waters, ex-enseignante à l'école Montessori, inaugure le restaurant *Chez Panisse* dans une maison située à proximité de l'université, elle n'a pas vraiment l'intention de changer le monde ; elle tente

simplement de populariser les techniques de la cuisine française pour les adapter à la cuisine du terroir californienne. À partir d'une tomate mûrie à point ou d'une botte d'asperges, elle découvre de multiples façons d'apprêter les aliments qui mettent en valeur l'authenticité de leur goût. Un succès qui perdure encore de nos jours !

Grâce à sa nouvelle génération de chefs, la cuisine californienne continue de parfaire son évolution créative. Entre son passé qui a toujours prôné la fraîcheur et la qualité des ingrédients, et son présent qui nous révèle la diversité de ses produits, elle poursuit sa philosophie à travers une mosaïque culinaire. Aux influences internationales des cuisines asiatique, méditerranéenne et mexicaine, viennent s'ajouter la sud-américaine et l'africaine, qui permettent à la cuisine californienne de créer une table multiethnique, colorée et inspirante.

San Francisco l'épicurienne

Habillée dès l'aube d'un voile de brume, elle laisse entrevoir, au fil du jour, ses rues pentues surplombées d'un bleu ciel et bordées d'élégantes maisons victoriennes. Patinée de rose et de blanc, elle vibre au rythme de son cosmopolitisme. Chinois, Japonais, Latino-Américains, Européens et Américains s'y attablent pour partager leurs agapes.

Cité magique, San Francisco, la plus européenne des américaines, est loin d'être prétentieuse. Ici, tout est inspirant et invitant, depuis les étals des marchés jusqu'aux tables gourmandes. Depuis plus d'un siècle, cette ville et ses banlieues ont vu croître un intérêt culinaire et œnologique très marqué. Grâce à la proximité des régions viticoles comme Napa et Sonoma, et à la fertilité des terres de la région, les habitants de San Francisco ont développé un art de vivre où le vin et la bonne chère font désormais partie du quotidien. La cuisine anglo-américaine dont les recettes étaient, à l'origine, concoctées à base de viande et de pommes de terre, a été rapidement influencée par les cuisines asiatique, mexicaine, française et, surtout, italienne, laquelle est devenue partie intégrante de la gastronomie californienne.

Une cuisine fusion

Basée sur une multitude d'ingrédients et de saveurs puisés dans les traditions culinaires des peuples latino-américains, européens et asiatiques qui cohabitent depuis plus de deux siècles sur cette terre promise, la jeune cuisine californienne continue d'affirmer son dynamisme et son caractère novateur. Ainsi est née une cuisine évolutive dont les ingrédients, que ce soient les légumes, les fruits ou les viandes, proviennent de producteurs locaux qui, pour la plupart, ont aujourd'hui à cœur la culture biologique. En utilisant les herbes et épices tels l'ail, le basilic, le romarin, la sauge ou le thym, la coriandre, le gingembre, l'anis étoilé ou le piment chili, la gastronomie californienne est devenue, au fil des décennies, le berceau de la cuisine fusion entre l'Asie, l'Europe et l'Amérique. Ainsi voit-on le thon grillé servi avec du blé concassé, des lentilles et du yogourt aromatisé aux herbes ou des asperges glacées à l'orange et aux champignons shiitake côtoyer un risotto aux endives et au fromage bleu garni de noix de Grenoble !

Le mélange des saveurs peut parfois sembler étrange ; néanmoins le résultat est heureux grâce à la qualité et à la fraîcheur des produits, mais aussi à la créativité et à l'ingéniosité des nombreux chefs qui ont envahi la région.

Les Californiens de San Francisco ont inventé une cuisine éclectique voire éclatée, et c'est en fréquentant l'un des nombreux restaurants de la ville que nos papilles peuvent se permettre d'expérimenter des saveurs au diapason de la planète. Peu importe le quartier, les restaurants abondent à San Francisco. Il en existe plus de 3300, soit plus d'établissements par personne que dans toute autre ville américaine. De la *taquería* ou *trattoria* jusqu'aux élégants quatre étoiles, la cuisine et le décor se veulent originaux, imaginatifs, diversifiés et de qualité.

QUARTIERS À VISITER

NORTH BEACH : la petite Italie de San Francisco.

CHINATOWN : un quartier pétillant bigarré de boutiques, de restos et de marchés de poissons, de fruits et de légumes exotiques.

UNION SQUARE : commercial mais très vivant, où affluent boutiques de luxe et théâtres.

SAUSALITO : l'autre côté de la rive, un quartier chic et cher mais vraiment sympathique.

À VOIR ABSOLUMENT

GOLDEN GATE BRIDGE ET BAY BRIDGE : à traverser le jour ou la nuit ou à photographier à partir d'un bateau d'excursion.

CABLE CAR : une balade en tramway est un must d'où l'on peut apercevoir de magnifiques points de vue de la ville. Le plus amusant des transports en commun !

Le *Farmer's Market*

Quel que soit l'endroit où l'on se trouve sur la planète, un des moyens les plus nobles de découvrir les habitudes alimentaires des habitants, voire les mœurs d'un pays, est de se balader à travers les marchés en plein air.

Quel plaisir de fouiner à travers les étals des nombreux marchés californiens ! Ne serait-ce que pour discuter avec les fermiers et fermières au sujet de la pluie et du beau temps, de leurs récoltes, ou encore pour échanger des recettes ou des secrets culinaires. Contrairement à l'Europe où les marchés en plein air existent depuis des siècles, ceux de la Californie, tels qu'on les retrouve aujourd'hui, sont relativement jeunes. En effet, avant 1977, les fermiers étaient régis par le Département de l'alimentation et de l'agriculture, qui les contraignait à vendre leurs produits dans le respect de normes strictes quant à la taille et à l'emballage. Dès 1980, un groupe de fermiers se sont donc unis pour travailler en collaboration avec des organismes paragouvernementaux afin de développer un programme qui faciliterait la vente locale de leurs produits. Depuis lors, dans les régions qui nous concernent, soit Central Valley, Napa, Mendocino et surtout Sonoma, se tiennent des marchés locaux qui offrent, une ou deux fois la semaine, les fruits des récoltes, obligatoirement vendus par les producteurs eux-mêmes. Fascinants sont ces marchés parce qu'ils regroupent une myriade de commerçants qui offrent une variété quasi infinie de produits. On y trouve, entre autres, du miel, de l'huile d'olive, des confitures, des fines herbes, des noix, du pain, des fruits et légumes, mais aussi des produits de beauté, des tricots et des objets d'art. Avis aux mordus avides de connaître l'avenir : on peut aussi y dénicher des médiums qui offrent, pour à peine quelques dollars, des consultations de clairvoyance ou d'astrologie.

Depuis plus d'une décennie, le marché de San Francisco demeure le plus animé et le plus grandiose des marchés californiens. En 2003, il a été magnifiquement réaménagé au Ferry Plaza de l'Embarcadero et regroupe des fermiers et des producteurs qui ont à cœur la culture biologique. Par un samedi matin, c'est un spectacle sans pareil de voir cette foule bigarrée qui, en quête d'un aliment sain et savoureux, se trouve en contact direct avec celui qui le produit. Bien sûr, les marchés existent pour encourager les fermiers locaux, mais ils permettent aussi de stimuler les consommateurs à mieux se nourrir et ainsi à se conscientiser au sujet de la survie de l'environnement, de la qualité et de la protection des ressources naturelles. Depuis lors, la renaissance des marchés a accru la viabilité des petits fermiers qui œuvrent autour de la baie de San Francisco. Fortement désireux de soutenir l'agriculture biologique, les habitants de San Francisco sont fiers de constater que leur ville est d'ores et déjà réputée internationalement pour la diversité et la qualité de ses aliments. Les nombreux chefs cuisiniers de San Francisco ont été les premiers à encourager les fermiers, faisant ainsi progresser depuis 30 ans l'offre et la demande de produits biologiques. Dès lors, on peut affirmer que la Californie est en voie de devenir un leader dans la production et la consommation de produits naturels, dits biologiques.

À l'instar de la Silicon Valley qui fut le berceau de l'explosion des nouvelles technologies de l'information, la région de San Francisco aura indubitablement, dans les années à venir, une influence prépondérante sur les cultures maraîchères du monde.

LA CULTURE BIOLOGIQUE

La culture biologique prône l'élimination des pesticides et des engrais de synthèse pour les remplacer par le produit du compostage et des engrais organiques afin d'améliorer l'impact environnemental de l'agriculture. Elle vise à développer des techniques moins polluantes que l'agriculture industrielle dans le but ultime de se rapprocher de la vraie nature des aliments. Pour l'élevage des animaux, elle bannit tout apport d'antibiotiques, d'agents de croissance synthétique ou d'hormones. Les animaux de ferme doivent être élevés dans un environnement sain et libre, et nourris avec des grains ou du fourrage issus de l'agriculture biologique. Enfin, plantes et animaux ne doivent en aucun cas subir une manipulation génétique.

12

PHOTOGRAPHIES : JANINE SAINE

Au fil des saisons
émanent du paysage californien
luminosité et sérénité.

Quelle poésie champêtre inspire le terroir de Valley Oaks, dans le comté de Mendocino, et plus précisément à Hopland où Barney Fetzer, plombier de métier, initie en 1969 ses 11 enfants à la viticulture. Son objectif premier est avant tout d'élaborer des vins de qualité que tout un chacun prendrait plaisir à déguster tous les jours. Au milieu des années 1980, alors que les *wineries* californiennes font la promotion de leurs vins en tentant de les harmoniser à une fine gastronomie, chez les Fetzer, on décide plutôt de mettre l'accent sur le lien existant entre les produits de la terre et la qualité de ce qui se consomme à table. Pour concrétiser cette volonté, on aménage à Hopland un jardin biologique de cinq acres où sont cultivés fruits, légumes et fines herbes ainsi qu'un pavillon qui offre aux visiteurs des démonstrations culinaires à partir de ces denrées cultivées dans des conditions idéales. Voyant le succès de cette initiative, Fetzer se lance dans la viticulture biologique qui lui vaut aujourd'hui le titre de plus grand producteur international spécialisé dans cette culture. Même si la *winery* est devenue dans les années 1990 la propriété d'une société du Kentucky, la philosophie vitivinicole implantée par les Fetzer perdure. Et de plus belle : cette conscience environnementale a pris une ampleur telle que d'autres producteurs avoisinants ont adopté des pratiques similaires. Ses 30 ans d'expérimentation, son évolution constante et les nombreux prix qu'elle a récoltés à travers le monde ont permis à cette *winery* de rendre le vin encore plus accessible, comme l'avaient toujours rêvé Barney Fetzer et sa descendance.

une *winery* bucolique

Fetzer

chef de file gastronomique
John Ash

À l'instar d'Alice Waters qui a été dans les années 1980 une pionnière de la nouvelle cuisine californienne, John Ash est également considéré comme une éminence dont les créations culinaires brillent au firmament des voluptés gastronomiques. On est toujours curieux de connaître le carnet de route d'un chef, et celui de John Ash est impressionnant. Son séjour au ranch de ses grands-parents au Colorado serait à l'origine de sa passion pour une cuisine où la simplicité des saveurs est de mise. Excellente cuisinière, sa grand-mère, qui œuvrait sur un poêle à bois, lui a légué les rudiments d'une cuisine créative qu'elle se complaisait à parfaire sans recettes. John a trouvé cela si merveilleux qu'il est allé faire des stages à Paris et à Londres auprès de grands chefs, puis à San Francisco où il a mis sur pied un service de traiteur. Et depuis plus de 16 ans, il transmet son savoir sur diverses chaînes de télévision américaine, lors de conférences internationales et à travers les trois ouvrages qu'il a publiés. Directeur de la gastronomie et du vin chez Fetzer depuis 1990, il aime soutenir, dans un humour teinté de vérité, qu'un chef cuisinier n'est pas la star, mais que, indubitablement, les ingrédients le sont : « Notre rôle est d'être un metteur en scène ; l'important est de trouver les bons ingrédients et d'en faire ressortir toute la délicatesse. » Dans le jardin conçu à l'origine par Jim, fils de Barney Fetzer, il se plaît à cueillir ces quelques fraîcheurs qui procureront à ses créations culinaires un goût unique, sans fioritures. Auteur du livre *From the Earth to the Table* primé par Julia Child, célèbre auteure gastronomique, il s'est toujours donné comme mission de démystifier l'accord des mets et des vins en les mettant à la portée des néophytes. Il demeure une figure importante tant dans l'évolution de la cuisine californienne qu'à travers la dynamique Fetzer.

Chaudrée de tomatilles, poblanos et haricots

Cette soupe santé consistante possède une riche saveur mexicaine. Les tomatilles ajoutent un goût acidulé semblable à celui du citron ou du citron vert. Les piments poblanos lui donnent une saveur et un arôme profonds de fumée encore plus marqués si vous les faites rôtir et si vous les pelez avant de les incorporer. Vous pouvez utiliser les haricots Heirloom — c'est-à-dire qui n'ont été soumis à aucun croisement génétique — de votre choix, les tocamares chocolat, les flageolets jaunes ou les haricots de Lima.

POUR 6 À 8 PERSONNES

30 ml (2 c. à soupe) d'huile d'olive
500 g (1 lb) d'oignons jaunes coupés en deux, puis tranchés dans le sens de la longueur
3 piments poblanos moyens frais, équeutés et épépinés, en fines lanières
15 ml (1 c. à soupe) d'ail, finement tranché
500 ml (2 tasses) de tomatilles fraîches, pelées et coupées en deux
2,5 ml (1/2 c. à thé) de chaque ingrédient : graines de fenouil, de cumin et de coriandre
10 ml (2 c. à thé) d'origan séché (de préférence mexicain)
1 ml (1/4 de c. à thé) de cannelle moulue
375 ml (1 1/2 tasse) de tomates en dés en conserve, avec leur jus
1,75 litre (7 tasses) de bouillon de poulet ou de légumes riche et clair
500 ml (2 tasses) de haricots de votre choix
Sel et poivre noir fraîchement moulu, au goût

Garniture : 45 ml (3 c. à soupe) de coriandre grossièrement hachée, tranches d'avocat disposées en éventail et quelques gouttes de jus de citron vert frais.

Dans une casserole, faire chauffer l'huile d'olive. Y faire revenir les oignons, les piments poblanos et l'ail sans les faire dorer, pendant environ 5 minutes. Ajouter les tomatilles, le fenouil, le cumin, l'origan, la coriandre, la cannelle, les tomates et le bouillon. Laisser mijoter doucement pendant 10 à 15 minutes. Ajouter les haricots. Poursuivre la cuisson jusqu'à ce que la préparation soit bien chaude. Rectifier l'assaisonnement avec le sel et le poivre.

Pour servir, verser une louchée de préparation dans des assiettes creuses chaudes. Garnir de coriandre hachée, d'avocat et de jus de citron vert juste avant de servir.

TOMATILLES ET POBLANOS

Les tomatilles, appelées *tomates verdes* au Mexique (ce qui signifie « tomates vertes »), sont considérées comme un produit de base dans la cuisine mexicaine.

Les tomatilles font partie de la famille des solanacées qui comprend aussi les tomates. Elles poussent partout dans l'hémisphère occidental et on les rencontre souvent dans les jardins texans. Ce fruit vert est approximativement de la taille d'une tomate cerise. Sa chair est blanche et plus charnue que celle d'une tomate.

Les poblanos sont des piments vert foncé qui poussent dans la région centrale du Mexique et dans le sud-ouest des États-Unis. Les poblanos mûrs sont plus doux que les verts et prennent un ton brun rougeâtre. Séchés, ils sont plus forts. Vous pouvez utiliser les poblanos pour relever une variété de plats. Tout comme pour les piments chilis, le goût prononcé des poblanos variera. Il est donc recommandé de goûter avant d'ajouter la quantité entière dans une recette et d'ajuster l'assaisonnement selon vos goûts.

SUGGESTION DE VIN

Viognier Bonterra Vineyards North Coast

Le piquant des piments chilis et l'acidité des tomatilles se marient merveilleusement bien avec ce viognier qui exhale un parfum familier de pêches et d'abricots fraîchement coupés, avec des relents de chèvrefeuille et de mystérieuses notes florales de vanille. En bouche, on retrouve le goût des pêches fraîches et de la crème avec un léger soupçon de vanille.

Napoléons d'aubergines rôties et de tomates avec sauce aux olives noires

Cette recette, relativement simple, est absolument délicieuse parce qu'elle tire avantage des délices des légumes frais du jardin. Utilisez tous les légumes que vous aimez. Si vous décidez d'utiliser les tomates séchées au four, préparez-les une journée à l'avance, car cela demande un certain temps. Le séchage au four fait ressortir des saveurs plus douces que le séchage au soleil et c'est une excellente façon d'obtenir un peu de saveur des tomates cultivées pour le commerce. Nous faisons rôtir les légumes ici, mais vous pouvez certainement tout préparer sur le gril si vous le désirez.

POUR 4 PERSONNES

Sauce aux olives noires
DONNE APPROXIMATIVEMENT 250 ML (1 TASSE)

150 ml (2/3 de tasse) d'huile d'olive extravierge

45 ml (3 c. à soupe) de tomate épépinée et en dés

45 ml (3 c. à soupe) d'olives noires rincées, telles que niçoises ou kalamatas en petits dés

10 ml (2 c. à thé) de zeste de citron haché finement

Sel de mer et poivre fraîchement moulu, au goût

Purée de basilic frais
DONNE APPROXIMATIVEMENT 180 ML (3/4 DE TASSE)

1 litre (4 tasses) de feuilles de basilic tassées

45 ml (3 c. à soupe) d'ail poché (ou cru) haché*

45 ml (3 c. à soupe) d'huile d'olive extravierge

60 ml (1/4 de tasse) de pignons rôtis ou d'amandes blanchies

Riche bouillon de légumes ou de poulet

Napoléons

2 aubergines moyennes

Huile d'olive

Sel de mer et poivre fraîchement moulu

2 courgettes moyennes coupées en deux, puis détaillées chacune en 4 tranches sur la longueur

2 oignons rouges moyens, pelés et coupés chacun en 4 rondelles

2 petits poivrons rouges, équeutés, épépinés et coupés en quartiers

2 gros champignons portobellos, les lamelles noires enlevées, et coupés chacun en 8 tranches

4 tomates italiennes, coupées en 2, épépinées et séchées au four**

8 tranches de mozzarella fraîche

La pointe de 4 branches de romarin

Garniture : quelques gouttes de vinaigre balsamique concentré, de la purée de basilic frais et des brins de fines herbes.

Sauce aux olives noires : Mélanger tous les ingrédients de la sauce et laisser reposer pendant au moins 2 heures pour permettre aux saveurs de se développer. Couvrir et conserver au réfrigérateur. Peut se conserver pendant 3 jours.

Purée de basilic frais : Faire blanchir le basilic dans de l'eau bouillante légèrement salée pendant environ 5 secondes. Le retirer et le plonger immédiatement dans de l'eau glacée pour arrêter la cuisson et fixer la couleur. Bien égoutter, assécher et hacher. Réduire en purée lisse au mélangeur avec l'ail poché, l'huile d'olive, les pignons et suffisamment de bouillon. Couvrir et conserver au réfrigérateur. Peut se conserver pendant 5 jours au réfrigérateur et jusqu'à 3 mois au congélateur.

Napoléons : Trancher les aubergines en 12 rondelles épaisses (6 tranches par aubergine) et les badigeonner des deux côtés d'une généreuse couche d'huile d'olive. Assaisonner de sel et de poivre. Disposer en une seule couche dans une plaque de cuisson et faire rôtir dans le four préchauffé à 200 °C (400 °F) jusqu'à ce qu'elles soient bien cuites et légèrement dorées, pendant environ 10 minutes. Réserver. Huiler, assaisonner et faire rôtir le reste des légumes de la même façon (sauf les tomates) et réserver. Faire attention de ne pas trop faire cuire les légumes afin qu'ils gardent un peu de fermeté.

Pour assembler les napoléons, commencer par mettre une rondelle d'aubergine sur une plaque de cuisson légèrement huilée, puis superposer dessus des tranches de courgettes, d'oignons, de poivrons, de champignons, des tomates séchées au four et du fromage. Ajouter une seconde couche d'ingrédients dans le même ordre et terminer par une tranche d'aubergine. Piquer une pointe de romarin au centre de chacun des quatre napoléons ainsi assemblés pour les maintenir en place.

Pour servir, mettre la plaque contenant les napoléons dans un four préchauffé à 190 °C (375°F) quelques minutes pour bien les réchauffer et faire à peine fondre le fromage. Dresser dans des assiettes chaudes et les entourer de sauce aux olives noires. Garnir de quelques gouttes de vinaigre balsamique concentré, de purée de basilic frais et de brins de fines herbes. Servir immédiatement.

Suggestion de vin
Fetzer Pinot Noir Valley Oaks

Les légumes rôtis ou grillés mélangés à la riche saveur des champignons, des olives et des tomates se marient naturellement avec les vins rouges fruités, légers et faibles en tanin, tels que le pinot noir.

---

* **Ail poché :** *Mettre les gousses d'ail non pelées dans une petite casserole et les couvrir d'environ 2,5 cm (1 po) d'eau froide. Amener à ébullition, égoutter et répéter l'opération deux autres fois. Éplucher les gousses d'ail et conserver au réfrigérateur à couvert. Peut se conserver pendant 2 semaines.*

** **Tomates séchées au four:** *Couper les tomates en deux et les équeuter. Avec les doigts, les presser légèrement, puis les épépiner. Huiler légèrement une plaque de cuisson et y déposer les tomates en une seule couche, le côté coupé vers le haut. Arroser d'un peu d'huile d'olive et assaisonner légèrement de sel et de poivre fraîchement moulu. Mettre au four à 110 °C (225 °F) pendant 3 à 4 heures ou jusqu'à ce que les tomates se soient un peu affaissées et qu'elles soient légèrement moins colorées. Couvrir et conserver au réfrigérateur. Peuvent se conserver pendant 3 semaines.*

Salade de melon « feu et glace »

Cette recette est parfaite pour un dîner d'été ou pour une entrée. Le goût brûlant des piments serranos contraste avec celui rafraîchissant du melon. La menthe et le citron vert viennent équilibrer agréablement ce plat.

POUR 8 PERSONNES

90 ml (1/3 de tasse) de sucre ou de miel
60 ml (1/4 de tasse) de vin blanc ou d'eau
10 ml (2 c. à thé) de piments serranos, épépinés et hachés finement, ou au goût
60 ml (1/4 de tasse) de jus de citron vert frais
15 ml (1 c. à soupe) de menthe fraîche hachée finement
10 ml (2 c. à thé) de chacun des ingrédients suivants hachés finement : poivrons rouge, vert et jaune
2 gros melons miel, brodé, ou tout autre melon mûr
Garniture : figues fraîches et pétales de fleurs comestibles, selon la disponibilité

Dans une petite casserole, mélanger le sucre et le vin, et faire bouillir jusqu'à ce que le sucre soit dissous. Laisser refroidir et ajouter le piment, le jus de citron vert, la menthe et les poivrons. Le sirop peut se conserver jusqu'à 3 jours au réfrigérateur.

Pour servir, couper les melons en deux et enlever les pépins. Détailler en formes décoratives et les dresser joliment dans des assiettes refroidies. Déposer le sirop au piment à la cuillère sur le melon et garnir de figues fraîches tranchées et de pétales de fleurs.

LA FORCE DES PIMENTS CHILIS

Il existe un moyen de mesurer la force des piments chilis. Il s'agit de l'échelle Scoville qui a été élaborée au tournant du siècle par W. L. Scoville. Cette méthode consiste à extraire les capsaïcinoïdes, des éléments qui sont responsables de la force des piments, puis de les diluer jusqu'à ce qu'ils soient à peine perceptibles. Par exemple, si 1 gramme d'extrait de piment chili doit être dilué dans 40 litres d'eau et d'alcool pour être tout juste perceptible, alors ce piment sera classé à 40 000 unités de force sur l'échelle Scoville. Bien que ce test ne soit pas précis puisque nous ne percevons pas tous la force d'un piment de la même façon, cette échelle nous donne une bonne évaluation de base.

Voici quelques degrés de force de divers piments chilis selon l'échelle Scoville :

Poivrons : 0
Anaheims : de 800 à 1200
Poblanos : de 800 à 1200
Jalapeños : de 8 000 à 10 000
Serranos : de 10 000 à 18 000
Japonais : de 25 000 à 40 000
Thaïlandais : de 40 000 à 60 000
Capsicine pure : 1 million

La capsicine est l'une des composantes de la famille des capsaïcinoïdes et semble être l'élément fort le plus puissant des piments chilis.

SUGGESTION DE VIN
Fetzer Gewurztraminer Echo Ridge
Légèrement doux, ce gewurztraminer épicé est le vin idéal pour accompagner ce plat léger mais plein de caractère, surtout s'il est servi une chaude journée d'été.

Salade de champignons sauvages, sauce à la moutarde de maïs

Quelques ingrédients particuliers rendent cette jolie salade sublime. Tout d'abord, il faut choisir de bons champignons. On trouve de plus en plus de champignons sauvages et de champignons de culture exotiques depuis quelques années. Il s'agit d'utiliser les meilleurs champignons que vous puissiez trouver. Le deuxième ingrédient important dans cette recette est l'huile de maïs. Il ne s'agit pas de l'huile de maïs que l'on trouve dans les supermarchés, mais d'une huile très particulière fabriquée par Spectrum Naturals à Petaluma. Ils utilisent une méthode pour extraire l'huile du maïs qui ne demande ni solvant ni agents de conservation, ce qui donne une huile absolument délicieuse, car elle goûte et elle sent le maïs. Vous pouvez vous procurer ce type d'huile dans les boutiques d'alimentation naturelle et de produits diététiques.

POUR 6 PERSONNES

Vinaigrette au citron et au miel
DONNE APPROXIMATIVEMENT 250 ML (1 TASSE)

30 ml (2 c. à soupe) d'échalotes hachées	
90 ml (6 c. à soupe) de vinaigre de riz assaisonné	
30 ml (2 c. à soupe) de miel aromatisé	
60 ml (4 c. à soupe) de jus de citron frais	
60 ml (4 c. à soupe) d'huile d'olive	

Sauce à la moutarde de maïs
DONNE APPROXIMATIVEMENT 250 ML (1 TASSE)

30 ml (2 c. à soupe) d'échalotes hachées finement

10 ml (2 c. à thé) d'ail poché ou rôti

125 ml (1/2 tasse) de bouillon de poulet ou de légumes non salé, très concentré

15 ml (1 c. à soupe) de moutarde de Dijon, ou au goût

125 ml (1/2 tasse) d'huile de maïs

5 ml (1 c. à thé) de jus de citron frais

Sel de mer et poivre fraîchement moulu, au goût

45 ml (3 c. à soupe) de beurre clarifié (beurre fondu et écumé) ou d'huile d'olive

750 g (1 1/2 lb) de champignons sauvages tels que pleurotes, chanterelles, alba ou autres

Sel de mer et poivre fraîchement moulu

2 litres (8 tasses) de mesclun pas tassé

Garniture : brins d'aneth frais, câpres frites, copeaux de parmesan ou de fromage dry jack

Vinaigrette au citron et au miel : Fouetter ensemble tous les ingrédients de la vinaigrette. Couvrir et conserver au réfrigérateur. Peut se conserver jusqu'à 5 jours.

Sauce à la moutarde de maïs : Au mélangeur, réduire en une purée lisse les échalotes, l'ail et le bouillon. Ajouter la moutarde et incorporer lentement l'huile tout en mélangeant jusqu'à ce que la sauce soit lisse et épaisse. Incorporer le jus de citron et assaisonner de sel et de poivre. Couvrir et conserver au réfrigérateur. Peut se conserver jusqu'à 3 jours.

Faire chauffer le beurre clarifié dans une grande sauteuse et y faire sauter les champignons jusqu'à ce qu'ils soient juste tendres et qu'ils conservent encore leur forme. Assaisonner avec le sel et le poivre fraîchement moulu ; réserver au chaud.

Pour servir, mélanger doucement le mesclun avec la vinaigrette au miel et au citron et dresser joliment dans les assiettes avec les champignons. Déposer tout autour, à la cuillère, la sauce à la moutarde de maïs et garnir des brins d'aneth, des câpres frites et du fromage. Servir immédiatement.

Crevettes dans une crème au vinaigre de poires

Cette recette est très simple à préparer. La sauce peut très bien accompagner d'autres viandes sautées comme des poitrines de poulet, des médaillons de porc ou encore des légumes. Essayez d'utiliser d'autres vinaigres aux fruits en vente dans les épiceries. N'oubliez pas que les vinaigres peuvent être de force différente et que vous devrez ajuster les quantités selon votre goût. Dans cette recette, les crevettes sont marinées avant la cuisson. Cela leur donne un goût plus tendre et plus savoureux et évite qu'elles ne soient trop sèches. (À moins que vous ne les fassiez trop cuire !)

POUR 4 PERSONNES

Pour la marinade

90 ml (1/3 de tasse) de chaque ingrédient : sel et cassonade

1 litre (4 tasses) d'eau froide

500 g (1 lb) de grosses crevettes blanches

45 ml (3 c. à soupe) de beurre

30 ml (2 c. à soupe) d'huile d'olive

60 ml (1/4 de tasse) d'échalotes ou de ciboules hachées

60 ml (1/4 de tasse) ou plus de vinaigre de poire ou d'un autre vinaigre de fruits

500 ml (2 tasses) de riche bouillon de poulet

250 ml (1 tasse) de crème épaisse

10 ml (2 c. à thé) de fines herbes fraîches de votre choix, telles que de l'estragon, hachées finement

Sel et poivre fraîchement moulu

125 ml (1/2 tasse) de poires fraîches (ou du fruit que l'on trouve dans le vinaigre)

Épinards braisés au beurre

45 ml (3 c. à soupe) de beurre

15 ml (1 c. à soupe) d'huile d'olive

1,5 litre (6 tasses) de mini-épinards (pas tassés)

Quelques gouttes de jus de citron frais

Sel et poivre fraîchement moulu

Garniture : cerfeuil frais ou brins d'estragon

SUGGESTION DE VIN
Chardonnay Bonterra
La riche sauce crémeuse nécessite un vin blanc ayant toutes les caractéristiques de ce chardonnay : un bouquet de pomme, de citron, voire d'agrumes et de crème brûlée qui précède de vives saveurs de fruits, de pomme à la cannelle cuite au four, de poire mûre, de vanille grillée et de chêne. La texture légère et l'équilibre de son acidité confèrent à ce vin une longue finale en bouche.

Mélanger ensemble les ingrédients de la marinade jusqu'à ce que le sel et la cassonade soient dissous. Décortiquer et déveiner les crevettes (réserver les carapaces) et les faire mariner pendant 1 à 2 heures au réfrigérateur. Égoutter, rincer et réserver.

Dans une sauteuse à fond épais, à feu moyen-vif, faire chauffer 30 ml (2 c. à soupe) de beurre et 15 ml (1 c. à soupe) d'huile. Hacher grossièrement les carapaces réservées, les mettre dans la sauteuse avec les échalotes et les faire cuire en remuant jusqu'à ce qu'elles soient légèrement colorées. Mouiller avec le vinaigre et le bouillon, et faire réduire à feu vif pendant environ 4 minutes. Égoutter en pressant sur les solides, puis remettre la sauce dans la sauteuse et ajouter la crème. Faire de nouveau réduire jusqu'à l'obtention de la consistance d'une sauce. Incorporer les fines herbes et assaisonner au goût avec le sel et le poivre. Réserver au chaud (ou préparer à l'avance et faire réchauffer doucement). Incorporer les fruits en dés juste avant de servir. (Note : Selon la force et la saveur du vinaigre, vous pouvez en ajouter 15 ml (1 c. à soupe) ou plus à la sauce, en fouettant, pour lui donner un peu de piquant. La sauce peut se séparer ou paraître grumeleuse. Pas de panique ! Il suffit de la faire chauffer au bain-marie ou de la passer au mélangeur pour qu'elle retrouve une texture lisse.)

Essuyer la sauteuse, ajouter le reste de beurre et d'huile, et y faire sauter rapidement les crevettes jusqu'à ce qu'elles soient roses et tout juste cuites.

Épinards braisés au beurre : Dans une grande sauteuse, faire chauffer le beurre et l'huile d'olive à feu moyen-vif. Ajouter les épinards et remuer rapidement pour les faire tomber, environ 1 minute. Ne pas trop les faire cuire, sinon ils flétriront. Assaisonner au goût avec quelques gouttes de jus de citron, du sel et du poivre. Dresser un monticule d'épinards dans des assiettes chaudes, poser les crevettes dessus, napper de sauce chaude et garnir de brins de fines herbes. Servir immédiatement.

27

Médaillons de venaison grillés, sauce aux mûres et à la sauge

Cette recette est toute simple. La sauce peut être préparée à l'avance et réchauffée.

POUR 4 PERSONNES

Médaillons

15 ml (1 c. à soupe) de sauge fraîche hachée finement

30 ml (2 c. à soupe) d'échalotes hachées finement

5 ml (1 c. à thé) de poivre noir moulu grossièrement

60 ml (1/4 de tasse) d'huile d'olive

4 médaillons de filet de chevreuil, de cerf ou de sanglier de 150 g (5 oz) chacun

Sauce aux mûres et à la sauge

15 ml (1 c. à soupe) d'huile d'olive

60 ml (1/4 de tasse) d'échalotes hachées

500 ml (2 tasses) de vin rouge, tel que cabernet sauvignon

1,25 litre (5 tasses) de riche bouillon de bœuf ou de poulet

500 ml (2 tasses) de petits fruits frais : mûres ou bleuets (myrtilles)

60 ml (4 c. à soupe) de feuilles de sauge fraîche hachées

15 ml (1 c. à soupe) de miel sauvage (ou au goût)

Sel et poivre fraîchement moulu, au goût

Garniture : mûres fraîches entières, brins de sauge fraîche et champignons sauvages grillés ou rôtis, si désiré

Mélanger ensemble la sauge, les échalotes, le poivre noir et l'huile, et y faire mariner les médaillons pendant 6 heures ou toute la nuit au réfrigérateur, en les retournant au moins deux fois.

Sauce aux mûres et à la sauge : Verser l'huile d'olive dans une casserole et y faire légèrement dorer les échalotes. Mouiller avec le vin et le bouillon ; ajouter les petits fruits et la sauge, et laisser réduire à feu vif jusqu'à l'obtention de la consistance d'une sauce légère, soit pendant 45 minutes ou plus. La sauce devrait napper le dos d'une cuillère. Rectifier l'assaisonnement avec quelques gouttes de miel, du sel et du poivre. Filtrer dans un chinois en pressant sur les solides pour en extraire tout le liquide. La sauce peut se préparer jusqu'à 5 jours à l'avance et se conserver à couvert au réfrigérateur. (Note : L'ajout de miel ne sert pas à sucrer la sauce, mais à équilibrer l'acidité du vin et à rehausser la saveur des mûres.)

Pour servir, retirer les médaillons de la marinade et les faire griller au four ou sur le gril à saignant-à point. Dresser dans des assiettes chaudes et entourer de sauce. Garnir de mûres, de brins de sauge et de champignons.

Beignets aux mûres

On nomme en anglais ces petites pâtisseries «grunts». Elles sont habituellement préparées avec des petits fruits et le nom provient, semble-t-il, du bruit que font les baies lorsqu'elles mijotent !

POUR 4 À 6 PERSONNES

Préparation aux fruits

2 litres (8 tasses) de petits fruits frais surgelés : mûres ou bleuets (myrtilles)

180 ml (3/4 de tasse) de sucre (ou au goût)

125 ml (1/2 tasse) de vin rouge (ou d'eau) mélangé à 10 ml (2 c. à thé) de fécule de maïs

15 ml (1 c. à soupe) de zeste de citron râpé

Pâte à beignets

250 ml (1 tasse) de farine tout usage

30 ml (2 c. à soupe) de sucre

5 ml (1 c. à thé) de levure chimique

2,5 ml (1/2 c. à thé) de bicarbonate de soude

Pincée de sel

30 ml (2 c. à soupe) de beurre non salé (doux), fondu

125 ml (1/2 tasse) de babeurre ou d'un mélange de yogourt (yaourt) nature et de lait écrémé ou d'eau

30 ml (2 c. à soupe) de sucre mélangé avec 5 ml (1 c. à thé) de cannelle

Garniture : crème fouettée (Chantilly), crème glacée (glace) à la vanille ou yogourt (yaourt) sucré

Mettre les ingrédients de la préparation aux petits fruits dans un poêlon creux de 20 à 22 cm (8 à 9 po) de diamètre et amener à faible ébullition à feu moyen.

Pendant la cuisson des petits fruits, préparer la pâte à beignets : Dans un bol, mélanger ensemble la farine, le sucre, la levure chimique, le bicarbonate de soude et le sel. Incorporer le beurre fondu. Ajouter suffisamment de babeurre pour obtenir une pâte molle et collante qui soit légèrement plus liquide qu'une pâte à biscuits.

Avec une cuillère à soupe, déposer la pâte sur les fruits en formant de petites boulettes. Saupoudrer de sucre à la cannelle. Couvrir hermétiquement avec le couvercle ou une feuille de papier d'aluminium et faire cuire à la vapeur à feu moyen-doux, sans découvrir, jusqu'à ce que la pâte soit prise et que la surface soit sèche au toucher, pendant environ 15 minutes. Pour servir, dresser dans des bols de service avec une cuillère et garnir de crème fouettée (Chantilly), de crème glacée (glace) ou de yogourt (yaourt) sucré.

« Si on n'utilise pas un fruit de qualité, on ne peut produire un bon vin. » Ainsi s'exprime Jess Jackson, un éminent avocat de San Francisco qui a décidé, dans les années 70, de convertir 80 acres de vergers de poires et de noix en vignobles, à Lakeport, au nord de Sonoma. Dix ans plus tard, il a élargi sa production de vins en utilisant des raisins provenant des régions de Santa Barbara, de Monterey, de Sonoma et de Lake. Depuis cet important virage viticole, Kendall-Jackson s'est acquis une réputation internationale : la qualité et les arômes du vin sont devenus les fondements de son excellence. La notion de terroir a aussi contribué grandement au succès de cette *winery*. En effet, elle lui a permis d'exploiter le fait que le cépage chardonnay cultivé sur une parcelle située dans la région de Mendocino et un autre cultivé à Santa Barbara produiraient des vins aux caractéristiques différentes.

Secondé par Randy Ullom, œnologue à la tête d'une équipe de 40 œnologues, Jess poursuit toujours cette recherche de terroirs dans le but de produire des vins d'une saveur exceptionnelle. Pour ce fondateur visionnaire, les meilleurs raisins, les meilleures barriques en chêne et les meilleurs œnologues sont des éléments essentiels au succès d'un domaine viticole. Et quand il déclare avec une verve passionnée que le vin, en harmonie avec la gastronomie, fait partie de l'héritage culturel californien, c'est qu'il les relie à des valeurs qui célèbrent la famille, l'amitié et l'amour.

Kendall-Jackson
le succès d'un visionnaire

un chef talentueux
aux multiples facettes
Randy Lewis

Même s'il est originaire de Californie, ce jeune chef fait ses premières armes en Nouvelle-Orléans où son grand-père et sa mère, qui étaient des maîtres jardiniers, l'initient aux saveurs primaires de la terre. Puis il devient propriétaire d'un restaurant dont les créations culinaires subissent des influences autant méditerranéennes, espagnoles que sud-américaines. Et un jour, voulant retrouver sa terre natale et entreprendre de nouveaux défis culinaires, il fait un retour en Californie.

Dans la région de Sonoma, où il œuvre chez Kendall-Jackson depuis quelques années, il qualifie le terroir d'exceptionnel, en regard non seulement de la fraîcheur des produits récoltés, mais également de la diversité des primeurs. Des huîtres au saumon fraîchement pêchés, du canard à l'agneau d'élevage, en passant par les fines herbes et les légumes cultivés dans les jardins de Kendall-Jackson, Randy déborde d'enthousiasme et, surtout, de créativité à l'égard du large éventail de denrées locales. « Moins les produits sont manipulés, meilleur est le résultat dans l'assiette », ajoute-t-il avec la conviction d'un chef pour qui la vraie nature des aliments est essentielle. Bien au fait de l'origine de ses acquisitions, telles les pommes de terre qu'il utilise et dont la culture est assurée par des fermiers depuis 1800, et aussi en raison de l'abondance et de la variété des produits, il a surnommé la région de Sonoma le « Golden Garden ». Appréciant la métamorphose des saveurs au fil des saisons, il tient à souligner que le goût de ce qui est bon demeure une question personnelle. Depuis qu'il exerce ses talents culinaires dans cette *winery*, l'accord des mets et des vins lui semble beaucoup plus significatif. Ses péchés mignons : les truffes italiennes, le cerfeuil et l'huile d'olive élaborée dans les jardins de Kendall-Jackson.

Gaspacho à la pastèque avec salade de crevettes et d'écorce de pastèque marinée

Créée en Nouvelle-Orléans et d'influence hispanique, cette soupe est très rafraîchissante. On peut remplacer les crevettes par du crabe. Si le temps presse, on peut simplement préparer le gaspacho à la pastèque, sans les garnitures.

POUR 4 PERSONNES

Gaspacho à la pastèque

1/4 de pastèque épépinée, la chair en dés, l'écorce réservée

1/4 d'oignon rouge, en dés

1/2 poivron rouge, épépiné, en dés

1/2 concombre anglais, pelé et épépiné, en dés

1/2 piment jalapeño épépiné, haché finement

2 gousses d'ail, hachées finement

1/2 branche de céleri, en dés

15 ml (1 c. à soupe) de vinaigre de xérès ou de vin blanc

Écorce de pastèque marinée

750 ml (3 tasses) d'eau

250 ml (1 tasse) de vinaigre de xérès

250 ml (1 tasse) de vinaigre de vin blanc

500 ml (2 tasses) de cassonade

24 grains de poivre noir

1/4 de bâton de cannelle

1 feuille de laurier

1 piment jalapeño

15 ml (1 c. à soupe) de graines de coriandre

2 clous de girofle

15 ml (1 c. à soupe) de sel de mer

250 ml (1 tasse) d'écorce de pastèque pelée, en dés de 5 mm (1/4 de po)

Salade de crevettes et d'écorce de pastèque marinée

12 crevettes bouillies, en dés

125 ml (1/2 tasse) d'écorce de pastèque marinée

60 ml (1/4 de tasse) de chiffonnade de basilic

30 ml (2 c. à soupe) d'huile d'olive

Gaspacho à la pastèque : Mettre tous les ingrédients de la gaspacho dans le mélangeur et les réduire en purée. Assaisonner de sel et de poivre. Filtrer dans un chinois et laisser refroidir. Avant de servir, rectifier l'assaisonnement avec du sel, du poivre, du vinaigre et du jus de citron.

Écorce de pastèque marinée : Mélanger tous les ingrédients, sauf l'écorce de pastèque, dans une casserole, faire mijoter pendant 15 minutes, puis filtrer. Ajouter le liquide et l'écorce dans la casserole et faire mijoter jusqu'à ce que l'écorce soit transparente, mais encore croquante. Filtrer et faire refroidir l'écorce.

Salade de crevettes et d'écorce de pastèque marinée : Mélanger tous les ingrédients de la salade dans un bol et assaisonner de sel et de poivre.

Dresser la salade au centre d'assiettes creuses froides, entourer de gaspacho et servir.

Soupe aux tomates jaunes

Potage très frais à base, de préférence, de tomates Heirloom (les plants proviennent de graines qui n'ont subi aucun croisement génétique). S'il vous est difficile de vous procurer des tomates jaunes, optez alors pour les rouges. À propos de tomates, le chef Randy raconte qu'un jour il a concocté un repas à Hong Kong avec 185 différentes sortes de tomates. Inouï comme expérience !

POUR 4 PERSONNES

4 tranches de pain de 1 cm (1/2 po) d'épaisseur, en dés

45 ml (3 c. à soupe) d'huile d'olive extravierge

Soupe aux tomates jaunes

2 grosses tomates jaunes

7 ml (1/2 c. à soupe) de vinaigre de xérès ou de vin blanc

10 ml (2 c. à thé) de sel de mer

60 ml (1/4 de tasse) de dés de pain, grillés

1 pincée de sucre

250 ml (1 tasse) d'huile d'olive extravierge

Sauce aux tomates

1 tomate moyenne

45 ml (3 c. à soupe) de vinaigre balsamique

10 ml (2 c. à thé) d'échalotes hachées finement

2 pincées de sel

1 pincée de sucre

60 ml (1/4 de tasse) d'huile d'olive extravierge

Salade aux tomates et au pain

12 tomates cerises, en quartiers, coupées en deux ou entières, selon leur taille

15 ml (1 c. à soupe) de chiffonnade de basilic

Mélangez les dés de pain avec l'huile d'olive et les faire dorer au four à 180 °C (350 ° F) pendant environ 10 minutes.

Soupe aux tomates jaunes : Hacher grossièrement les tomates jaunes et les réduire en purée au mélangeur avec le vinaigre de xérès, le sel, le quart du pain grillé et la pincée de sucre. Incorporer lentement 250 ml (1 tasse) d'huile d'olive. Filtrer au chinois, rectifier l'assaisonnement et faire refroidir.

Sauce aux tomates : Au mélangeur, réduire en purée les tomates, le vinaigre balsamique, les échalotes hachées, les pincées de sel et de sucre. Incorporer lentement l'huile d'olive, filtrer et assaisonner au goût.

Salade aux tomates et au pain : Mélanger le reste du pain grillé, les tomates cerises et le basilic avec la sauce aux tomates, rectifier l'assaisonnement et laisser reposer pendant 15 à 20 minutes.

Pour servir, dresser un peu de salade aux tomates et au pain au centre d'une assiette creuse et verser la soupe autour.

SUGGESTION DE VIN
Kendall-Jackson Vintner's Reserve Sauvignon Blanc
Blanc plein de vivacité dont les effluves de lime et de melon avec une subtile infusion de miel et de citronnelle se mêlent bien aux saveurs tropicales d'ananas et de goyave. Le kiwi et la figue couronnent le bouquet final.

Panna cotta au maïs sucré

Création originale du chef, cette appétissante crème servie en entrée est très simple à concocter et de préférence avec du maïs frais ou alors des grains surgelés. Dérivée d'un entremets piémontais, la panna cotta *signifie « crème cuite » en italien.*

POUR 6 PERSONNES

2 feuilles de gélatine

2 épis de maïs frais

625 ml (2 1/2 tasses) de crème épaisse

180 ml (3/4 de tasse) de lait

Couvrir la gélatine d'eau froide pour la ramollir. Couper et détacher les grains de maïs des épis. Dans une casserole, amener à ébullition la crème, le lait et le maïs, puis baisser le feu et laisser mijoter pendant 8 minutes. Retirer du feu, verser dans le bol du mélangeur et mélanger. Filtrer dans un chinois et incorporer la gélatine au fouet. Verser dans des verres de 125 ou 180 ml (4 ou 6 oz) et laisser prendre. Servir froid.

SUGGESTION DE VIN
Kendall-Jackson Vintner's Reserve Chardonnay
Un joli blanc dont les saveurs de fruits et les arômes de pêche, de pomme verte, de melon et de fruits tropicaux chevauchent ceux du caramel et du chêne. Luxuriant, riche et sec avec une acidité bien équilibrée, ce vin est délicieux servi en apéritif ou pour accompagner cette charmante entrée.

Œufs de caille pochés et salade frisée avec gésiers de poulet confits en vinaigrette

Organe digestif des oiseaux, le gésier est très recherché par les fins gourmets. Quand on le confit, il devient plus tendre. On peut remplacer le gésier par du lard salé, la graisse de canard par de l'huile d'olive et l'œuf de caille par celui de la poule. D'influence française, cette salade s'avère un petit festin.

POUR 4 PERSONNES

20 gésiers de poulet
15 ml (1 c. à soupe) de grains de poivre entiers
8 brins de thym frais
30 ml (2 c. à soupe) de sel de mer
15 ml (1 c. à soupe) de vinaigre de vin rouge
5 ml (1 c. à thé) de moutarde de Dijon
1 litre (4 tasses) de graisse de canard fondue
2 laitues frisées, lavées
4 œufs de caille, pochés

Faire tremper les gésiers toute la nuit dans du lait et les égoutter. Dans un bol, mélanger les gésiers avec le poivre, le thym et le sel, puis les placer sur la grille d'une lèchefrite et les mettre 2 heures au réfrigérateur. Parer les gésiers en enlevant la peau argentée qui les recouvre.

Dans une sauteuse chaude, faire saisir les gésiers jusqu'à ce qu'ils soient bruns. Les retirer de la sauteuse et déglacer avec le vinaigre. Ajouter la moutarde, incorporer au fouet 30 ml (2 c. à soupe) de graisse de canard et réserver comme vinaigrette. Couvrir les gésiers de graisse de canard et faire cuire au four à 100 °C (200 °F) pendant 2 heures.

Mélanger les laitues frisées avec la vinaigrette refroidie et dresser au milieu des assiettes. Garnir d'un œuf de caille poché et entourer de 5 gésiers.

SUGGESTION DE VIN
Kendall-Jackson Vintner's Reserve Syrah
Pour accompagner les gésiers, un excellent vin dont les effluves et le bouquet perceptible des mûres et du cassis chevauchent des notes de poivre et de fumée. Luxuriant et plein en bouche, avec un fini épicé qui perdure.

Poitrines de canard rôties à la sauce aigre-douce

Originale, cette recette de canard, car la sauce qui l'accompagne est peu calorique et exhale des effluves aigre-doux. Elle peut être accompagnée de polenta, de riz sauvage ou de pommes de terre.

POUR 4 PERSONNES

4 poitrines de canard

Sauce aigre-douce

30 g (1 oz) de lard fumé, en petits dés

15 ml (1 c. à soupe) de sucre

2 plumquats (ou prunes) tranchés, épépinés

1/4 de piment jalapeño rôti, épépiné et haché finement

15 ml (1 c. à soupe) de vinaigre de vin blanc

60 ml (1/4 de tasse) de bouillon de canard ou de poulet

Enlever le surplus de gras du canard. Entailler le gras qui reste en croisillons. Mettre les poitrines de canard dans une sauteuse, la peau dessous, et faire revenir à feu moyen. Faire rendre le gras lentement et éliminer la graisse de la sauteuse pendant la cuisson. Faire cuire jusqu'à ce que la peau du canard soit croustillante et dorée, puis retourner pour faire dorer l'autre face. Retourner de nouveau les poitrines, la peau dessous, et faire rôtir au four à 180 °C (350 °F) pendant 8 à 10 minutes. Retirer de la sauteuse et laisser reposer au chaud.

Sauce aigre-douce : Faire sauter le lard dans la sauteuse jusqu'à ce qu'il soit doré. Jeter la graisse. Ajouter le sucre et le faire caraméliser. Ajouter les plumquats, le piment jalapeño et le vinaigre, et faire réduire pendant 30 secondes. Mouiller avec le bouillon et laisser réduire jusqu'à ce que la consistance soit celle d'une sauce.

Pour servir, détailler les poitrines de canard en tranches minces, les disposer en éventail dans des assiettes et garnir avec la sauce aigre-douce.

PLUMQUAT

Créé au début du siècle dernier par Luther Burbank, horticulteur réputé de Santa Rosa, ce fruit au goût sucré provient d'un croisement entre une prune et un abricot. Comme il est peu probable de pouvoir se le procurer en dehors de la Californie, on peut le remplacer par une autre variété de prunes. À ne pas confondre avec le kumquat originaire de la Chine qui ressemble à une petite orange et dont la chair est acidulée.

> **SUGGESTION DE VIN**
> **Kendall-Jackson Vintner's Reserve Merlot**
> Un vin bien structuré dont les saveurs douces de cerises noires, de mûres, de chocolat et de cassis sont mises en valeur par des arômes de vanille, d'épices et de cèdre. Un heureux mariage avec ce plat de canard.

Filets d'agneau avec purée de petits pois frais

Choisir un jeune agneau tel celui de Sonoma qui se distingue par son goût printanier. Un plat quatre saisons simple mais savoureux !

POUR 4 PERSONNES

2 filets d'agneau
30 ml (2 c. à soupe) de thym frais
4 gousses d'ail frais, en dés
5 ml (1 c. à thé) de grains de poivre noir
15 ml (1 c. à soupe) d'huile d'olive
500 ml (2 tasses) de petits pois, frais ou surgelés
45 ml (3 c. à soupe) d'huile d'olive extravierge
500 ml (2 tasses) de pousses de pois (optionnel)

Parer les filets d'agneau et les faire mariner dans un mélange de thym, d'ail, de poivre et d'huile d'olive. Faire blanchir les petits pois, les égoutter, puis les réduire en une purée lisse avec l'huile d'olive. Retirer l'agneau de la marinade, assaisonner de sel et de poivre.

Dans une sauteuse chaude, faire saisir les filets d'agneau sur toutes les faces, puis les mettre au four à 180 °C (350 °F) pendant 4 minutes. Sortir du four et laisser reposer pendant 5 minutes. Dans une casserole, faire réchauffer la purée de petits pois et la dresser au milieu des assiettes. Trancher les filets d'agneau et garnir la purée de quelques tranches. Si on les utilise, mélanger les pousses de pois avec un peu de sel et d'huile d'olive, et les placer sur les tranches d'agneau.

SUGGESTION DE VIN

Kendall-Jackson Vintner's Reserve Merlot

Les saveurs douces de cerises noires, de mûres, de chocolat et de cassis s'harmonisent merveilleusement bien avec les notes de vanille, d'épices et de cèdre qui sont soutenues par des tanins subtils, bien structurés, procurant un fini riche en bouche. Merveilleux avec cette recette à l'agneau.

Tartelettes aux bettes à carde, aux figues et aux pignons

Grâce à la présence de figues, de pignons et de bette à carde, les parfums de ce dessert ont des accents italiens. Exquis et surtout facile à réaliser.

POUR 4 PERSONNES

Pâte

375 ml (1 1/2 tasse) de pignons	
90 ml (1/3 de tasse) de sucre	
375 ml (1 1/2 tasse) de farine	
125 g (1/4 de lb) de beurre non salé (doux), en dés	
1 œuf	
30 ml (2 c. à soupe) d'eau froide	

Garniture

125 ml (1/2 tasse) de figues séchées	
Eau chaude	
750 g (1 1/2 lb) de bettes à carde, sans les tiges ou de feuilles d'épinards ou de betteraves	
125 ml (1/2 tasse) de pignons	
15 ml (1 c. à soupe) de miel	
2 œufs	
45 ml (3 c. à soupe) de sucre	
125 ml (1/2 tasse) de crème épaisse	
30 ml (2 c. à soupe) de lait	
5 ml (1 c. à thé) de zeste d'orange frais	

Pâte : Dans le bol du mélangeur, mélanger pendant quelques secondes les pignons, le sucre, la farine, le beurre et l'œuf. Ajouter l'eau et arrêter l'appareil. Envelopper la pâte et la réfrigérer pendant 2 heures. Abaisser la pâte pour foncer un moule à tarte de 20 cm (8 po) de diamètre.

Garniture : Couvrir les figues d'eau chaude et les y laisser pendant 20 minutes. Sortir les figues et les hacher grossièrement. Blanchir les bettes à carde et les égoutter. Les presser pour enlever tout surplus d'eau et les hacher grossièrement.

Faire dorer les pignons. Dans un bol, mélanger le miel, les œufs, le sucre, la crème, le lait et le zeste d'orange. Incorporer doucement les pignons dorés, les bettes à carde et les figues, puis verser sur la pâte à tarte.

Faire cuire au four à 180 °C (350 °F) pendant 25 à 30 minutes.

LA BETTE À CARDE

Apparentée à la betterave, la bette à carde est une plante potagère dont le goût se compare à celui de l'épinard, même si sa saveur en est plus douce. On peut la remplacer par des feuilles d'épinards ou des feuilles de betterave.

SUGGESTION DE VIN
Kendall-Jackson Vintner's Reserve Riesling
Exquis avec ce dessert dont les notes d'agrumes et les arômes floraux se mêlent agréablement aux saveurs luxuriantes de pêches, de poires, d'abricots et de mandarines.

En 1933, quand les frères Ernest et Julio Gallo ont commencé à cultiver la vigne à Modesto, en Californie, ils étaient loin de se douter que, quelque soixante-dix ans plus tard, ils figureraient parmi les plus grands producteurs de vin au monde et que leurs petits-enfants perpétueraient cet essor au XXIe siècle.

En narrant la saga de son grand-père Julio et de son oncle Ernest, Caroline Bailey aime souligner qu'elle s'inspire quotidiennement de l'exaltante vision qu'ils lui ont transmise. « Ils goûtaient leurs vins chaque jour, sans exception, désirant toujours faire mieux. C'est l'acharnement des deux frères à produire d'excellents vins qui les a attirés à Sonoma pour acheter du raisin, dès 1934 » se souvient-elle.

Les frères Gallo ont su s'adapter aux goûts des consommateurs et leur offrir ce qu'ils désiraient. C'est ainsi que les vins haut de gamme élaborés par la maison Gallo ont acquis une réputation enviable, tels que le Estate Cabernet Sauvignon et le Chardonnay, pourvus d'élégance et de finesse, lauréats de plusieurs prix d'excellence.

Grâce à l'invincible esprit de famille qu'elle a hérité de ses aïeux, Caroline cultive avec conviction et fierté cet héritage culturel italien qui contribue également à la réputation internationale de la *winery*. Ainsi, en présence de nombreux cousins et cousines de la troisième génération des Gallo, Caroline déploie cet esprit de famille tant à la maison qu'au sein de l'entreprise, où les valeurs familiales influencent les décisions.

Quand il est question de gastronomie, Caroline évoque tendrement sa grand-mère Aileen, qui a su transmettre son amour des traditions familiales et culinaires. Rassemblées dans un livre, les recettes d'Aileen évoquent autant son attachement aux origines italiennes des Gallo que l'importance qu'elle accordait à la fraîcheur des denrées de la Californie. Selon Caroline, « Le goût est une question de mémoire. Et pour notre famille, la nourriture et le vin ont toujours été harmonieusement associés à table. »

La famille Gallo continue d'exercer cet art de vivre où les traditions tendent à évoluer de génération en génération, respectueuses du passé mais tournées vers l'avenir.

un bel esprit familial
E. & J. Gallo

un traiteur passionné
Bruce Riezenman

« Peu importe l'endroit où l'on naît, l'essentiel est de cultiver son talent et d'en faire profiter les autres » affirme Bruce Riezenman, né dans une famille de cuisiniers émérites de Brooklyn, à New York, et aujourd'hui chef dans le comté de Sonoma, en Californie.

Depuis son service de traiteur jusqu'aux réceptions privées des grandes familles vinicoles californiennes, tels les Gallo, à Sonoma, et les Martini, à Napa Valley, le chef Riezenman vit de sa passion culinaire.

Il y a plus de vingt ans, après sa formation au prestigieux Culinary Institute of America, à Hyde Park, dans l'État de New York, Bruce Riezenman s'est installé en Californie afin de poursuivre son exploration de la fraîcheur, de la saveur et de la qualité des produits agricoles, tout en les associant aux vins.

C'est à Sonoma et à Napa qu'il noue des alliances avec plusieurs fermiers locaux et producteurs de produits artisanaux tels que fromages et huile d'olive. Ainsi fait-il partie de cette nouvelle génération de chefs gastronomes constamment en quête d'authenticité et de créativité.

En mariant arômes, textures et couleurs pour créer des plats uniques et savoureux, il sait rendre hommage aux produits de base californiens. Avec la famille Gallo, il partage la philosophie selon laquelle l'harmonie des vins et des mets inspire l'expression d'une communion, tant amicale que familiale.

Avec Caroline Bailey, petite-fille de Julio Gallo, Bruce Riezenman a adapté certaines des recettes familiales des Gallo en y insufflant son propre style et en les mariant avec des vins de la maison E. & J. Gallo.

Soupe toscane

Il existe plusieurs versions de cette soupe si populaire en Toscane. Au moment de la servir, on peut ajouter un filet d'huile d'olive extravierge. Un régal que l'on accompagne de pain de campagne.

POUR 6 PERSONNES

300 g (10 oz) de haricots cannellini secs
8 gousses d'ail, entières
30 ml (2 c. à soupe) d'huile d'olive extravierge
5 ml (1 c. à thé) de thym frais haché
15 ml (1 c. à soupe) de romarin frais haché
3 petites feuilles de laurier
1,5 litre (6 tasses) de bouillon de bœuf, de poulet ou de légumes
30 g (2 c. à soupe) de beurre
1 oignon blanc moyen, en dés
2 carottes, pelées et en dés
2 branches de céleri, parées et en dés
Sel et poivre au goût
250 ml (1 tasse) de vin blanc
3 tomates moyennes, pelées, épépinées et hachées, en conservant le jus
Sel et poivre, au goût

Faire tremper les haricots toute la nuit ou pendant au moins 4 heures. Les trier pour éliminer les débris. Dans une casserole, mettre les haricots, les gousses d'ail, l'huile d'olive, la moitié des fines herbes (thym, romarin, feuilles de laurier) et le bouillon, et laisser mijoter à feu très doux pendant 1 1/2 à 2 heures, jusqu'à ce que les haricots soient tendres, mais encore entiers. Retirer la casserole du feu et laisser refroidir dans le liquide de cuisson. Faire chauffer le beurre dans une casserole et y ajouter les oignons, les carottes, le céleri et le reste des fines herbes. Assaisonner de sel et de poivre.

Faire cuire jusqu'à ce que les légumes soient tendres. Mouiller avec le vin blanc et les tomates avec leur jus. Laisser réduire de moitié. Ajouter les haricots et laisser mijoter pendant au moins 20 minutes. Attention, les haricots doivent demeurer entiers. Assaisonner de sel et de poivre, au goût.

Servir le jour même ou le lendemain. Si vous faites réchauffer la préparation, veillez à ce que les haricots demeurent entiers.

Variante : Pour plus de saveur, vous pouvez ajouter de la pancetta (lard italien salé, non fumé) ou des bettes à carde à la préparation.

SUGGESTION DE VIN
Ernest & Julio Gallo Sonoma County Cabernet Sauvignon
Délectable avec cette soupe toscane, ce rouge aux parfums et aux saveurs de mûres, de cassis et de chocolat, offre en bouche rondeur et finale épicée.

Mesclun et poitrine de canard fumée

Un appétissant mesclun qui, par le choix des ingrédients, constitue un repas parfumé et nourrissant.

POUR 6 PERSONNES

Vinaigrette

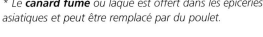

45 ml (3 c. à soupe) de vinaigre balsamique de cidre ou 60 ml (4 c. à soupe) de vinaigre de cidre

125 ml (1/2 tasse) d'huile d'olive extravierge

5 ml (1 c. à thé) d'échalote hachée finement

2,5 ml (1/2 c. à thé) de persil italien frais haché

7 ml (1/2 c. à soupe) de moutarde

Sel et poivre au goût

3 litres (12 tasses) de mesclun

18 asperges parées, pelées (si elles sont grosses), coupées en morceaux de 5 cm (2 po) et cuites à la vapeur

500 g (1 lb) de fèves des marais (gourganes) ou de haricots de Lima, nettoyés, cuits, la peau enlevée

750 g (1 1/2 lb) de pommes de terre rouges, cuites à la vapeur, chacune coupée en 8 quartiers

750 g (1 1/2 lb) de tomates coupées en quartiers

750 g (1 1/2 lb) de poitrine de canard fumée (ou de poulet), détaillée en longues tranches minces*

** Le **canard fumé** ou laqué est offert dans les épiceries asiatiques et peut être remplacé par du poulet.*

Fouetter tous les ingrédients de la vinaigrette ensemble dans un bol.

Mélanger le mesclun, les asperges, les fèves des marais avec 90 ml (1/3 de tasse) de vinaigrette jusqu'à ce que les ingrédients en soient bien enrobés. Répartir entre les assiettes.

Mélanger les pommes de terre avec une petite quantité d'huile d'olive, de sel et de poivre et dresser autour de la salade avec les quartiers de tomates. Garnir chaque portion de tranches de canard, napper d'un peu de vinaigrette. Servir immédiatement.

SUGGESTION DE VIN
Ernest & Julio Gallo Sonoma County Pinot Noir
Rouge aux saveurs vives de framboises, de fraises et de cerises agrémentées par des arômes d'épices et de goût terreux, à l'accent velouté. Des notes de vanille sucrée provenant du vieillissement en fût de chêne viennent parfaire ce pinot.

Frittata aux légumes

Typiquement italienne, cette omelette dont les œufs sont mélangés aux ingrédients est d'une texture plus ferme que l'omelette française qui est pliée en deux, fourrée et, de préférence, baveuse.

POUR 6 PERSONNES

1 tête d'ail
30 ml (2 c. à soupe) d'huile d'olive extravierge
2 petites courgettes, tranchées
250 g (1/2 lb) d'asperges, coupées en morceaux de 7,5 cm (3 po)
250 g (1/2 lb) de bettes à carde ou d'épinards
2 oignons moyens
20 ml (1 1/2 c. à soupe) d'origan frais
2 poivrons rouges rôtis, pelés et épépinés
10 gros œufs, battus
5 ml (1 c. à thé) de sel de mer
2,5 ml (1/2 c. à thé) de poivre noir fraîchement moulu
325 ml (1 1/2 tasse) de parmesan en copeaux

Couper la pointe des gousses d'ail et placer la tête sur un petit morceau de papier d'aluminium. Arroser de 15 ml (1 c. à soupe) de l'huile d'olive, envelopper et sceller. Faire cuire au four à 180 °C (350 °F) pendant 40 minutes. Laisser refroidir et presser l'ail des gousses. Réserver.

Mettre les courgettes dans le panier d'une étuveuse au-dessus de l'eau bouillante. Couvrir et faire cuire à la vapeur pendant 5 minutes ou jusqu'à ce qu'elles soient *al dente*. Réserver.

Répéter l'opération avec les pointes d'asperges. Réserver.

Parer les branches de bettes à carde et les trancher. Couper les feuilles en lanières de 2,5 cm (1 po). Mettre les tiges et les feuilles des bettes à carde dans le panier de l'étuveuse au-dessus de l'eau bouillante. Couvrir et faire cuire à la vapeur pendant 3 minutes ou jusqu'à ce qu'elles soient *al dente*. Réserver.

Couper les oignons en deux dans le sens de la longueur, puis les détailler en quartiers très minces. Les faire sauter dans 15 ml (1 c. à soupe) d'huile d'olive dans une grande poêle, à feu moyen-vif, pendant 5 minutes ou jusqu'à ce qu'ils soient tendres. Ajouter l'ail, la bette à carde, les courgettes, les asperges, l'origan et les poivrons. Mélanger doucement.

Fouetter ensemble les œufs, le sel et le poivre. Dans une poêle de 30 cm (12 po) de diamètre allant au four, superposer la moitié de la préparation aux légumes, la moitié du parmesan et la moitié des œufs fouettés. Recommencer l'opération avec le reste des ingrédients.

Faire cuire au four à 170 °C (325 °F) pendant 55 minutes ou jusqu'à ce que la frittata soit prise.

SUGGESTION DE VIN

Ernest & Julio Gallo Two Rock Vineyard, Chardonnay Sonoma Coast

Un chardonnay pourvu d'une belle robe et très délicat. De jolis tanins fins et bien équilibrés offrent en bouche une agréable fraîcheur qui vient parfaire les délices de cette frittata.

Orecchiette à la sicilienne

Voici une recette contenant une version sicilienne de pesto qui signifie en italien « broyé » ou « pilé ». Il existe d'ailleurs plusieurs variantes de cette sauce qui attire de plus en plus d'adeptes parmi les gourmets. Si l'on opte pour la version plus classique, on peut remplacer les amandes par des noix de Grenoble ou alors par des pignons. Pour les inconditionnels du basilic qui préfèrent utiliser uniquement cette herbe, il suffit d'en ajouter 125 ml (1/2 tasse) de plus que la mesure indiquée.

POUR 4 À 6 PERSONNES

Pesto

4 à 5 tomates moyennes, pelées et hachées, sans les pépins ni le jus

125 ml (1/2 tasse) d'amandes non salées

4 gousses d'ail

125 ml (1/2 tasse) de feuilles de basilic

60 ml (1/4 de tasse) de brins de persil

60 ml (1/4 de tasse) de feuilles de menthe

Sel et poivre au goût

Piment fort en flocons, au goût

250 ml (1 tasse) d'huile d'olive extravierge

500 g (1 lb) d'orecchiette ou d'une autre forme de pâtes

Fromage parmesan râpé

Mélanger tous les ingrédients pour le pesto, sauf l'huile d'olive. Verser dans le bol du robot culinaire et mélanger en ajoutant lentement l'huile d'olive jusqu'à ce que la préparation soit émulsionnée.

Faire cuire les pâtes selon les directives sur l'emballage. Lorsqu'elles sont cuites, les égoutter en conservant une petite quantité d'eau sur les pâtes. Verser le pesto sur les pâtes et garnir d'une généreuse quantité de parmesan.

> **SUGGESTION DE VIN**
> **Ernest & Julio Gallo Sonoma County Pinot Noir**
> Rouge aux saveurs vives de framboises, de fraises et de cerises qui va à ravir avec ces pâtes au pesto. La finale veloutée offre des notes de vanille sucrée provenant du vieillissement en fût de chêne.

Lotte au vin blanc, au beurre et aux chanterelles

Poisson à chair blanche, ferme et fine, la lotte qui possède une énorme arête centrale et dont seule la queue est comestible, porte aussi le nom de baudroie. On peut la remplacer par tout autre poisson blanc, tel que aiglefin, morue ou colin.

En ce qui a trait aux chanterelles, elles ne sont pas toujours offertes dans les épiceries fines. Alors, il faut se contenter de les remplacer par des portobellos ou des champignons de Paris.

POUR 6 PERSONNES

1,25 kg (2 1/2 lb) de lotte, parée, sans peau, en 6 morceaux
Sel et poivre, au goût
180 g (6 oz) de beurre non salé (doux), à la température ambiante
500 ml (2 tasses) de chapelure
5 ml (1 c. à thé) de persil haché
1 ml (1/4 de c. à thé) de graines de fenouil grillées et moulues
30 ml (2 c. à soupe) d'huile d'olive
15 ml (1 c. à soupe) d'échalote hachée finement
375 g (3/4 de lb) de chanterelles, parées et coupées en deux (si elles sont grosses)
1 ml (1/4 de c. à thé) de zeste d'orange, râpé
Sel et poivre au goût
300 ml (1 1/4 de tasse) de chardonnay
2,5 ml (1/2 c. à thé) de thym frais haché
1 citron

Poivrer et saler la lotte. Mélanger 30 g (2 c. à soupe) de beurre avec la chapelure et la moitié du persil et les graines de fenouil jusqu'à ce que le beurre soit bien réparti et que la préparation commence à se lier. Couvrir la lotte de ce mélange.

Entre-temps, préchauffer une casserole antiadhésive contenant l'huile. Lorsque celle-ci est bien chaude, ajouter 5 g (1 c. à thé) de beurre. Lorsque le beurre commence à mousser, ajouter la lotte. Lorsque la chapelure commence à brunir, retourner délicatement le poisson et terminer la cuisson dans le four préchauffé à 170 °C (325 °F) pendant environ 5 minutes.

Pendant que le poisson est au four, faire fondre 15 g (1 c. à soupe) de beurre dans une petite casserole à feu moyen-vif. Lorsque le beurre commence à mousser, ajouter l'échalote, puis les chanterelles et le zeste d'orange. Saler et poivrer. Faire revenir les chanterelles pendant environ 3 minutes, puis ajouter le chardonnay et le thym. Poursuivre la cuisson pendant 1 à 2 minutes, jusqu'à ce que le vin ait réduit d'environ 60 à 90 ml (1/4 à 1/3 de tasse). Ajouter alors le reste du beurre ramolli et du persil haché, et imprimer à la casserole un mouvement de rotation pendant que le beurre mousse. Cela maintiendra l'émulsion de la préparation qui se transformera en sauce.

Répartir uniformément les chanterelles entre les assiettes, puis verser la sauce au centre. Sortir la lotte du four et en placer un morceau au milieu de chaque assiette, sur la sauce. Exprimer une petite quantité de jus de citron sur chaque morceau de poisson et garnir d'un brin de thym frais. Servir immédiatement.

SUGGESTION DE VIN
Ernest & Julio Gallo Two Rock Vineyard, Chardonnay Sonoma Coast
Un chardonnay très délicat et complexe. Des acides bien intégrés et des tanins bien équilibrés procurent à ce vin une fraîcheur qui se traduit par un goût léger au palais.

Bœuf à la florentine

Le Niman Ranch situé à Oakland, près de San Francisco, produit un bœuf élevé dans un environnement sain et nourri naturellement sans hormones ou antibiotiques. Depuis 1999, cette ferme produit également des viandes de porc et d'agneau avec le même standard de qualité. La coupe utilisée ici est le Tri Tip, une coupe typiquement californienne qui correspond au steak de surlonge ou au steak de culotte. On peut également utiliser le steak de bavette pour cette exquise recette dont la préparation s'avère rapide.

POUR 6 PERSONNES

1,25 kg (2 1/2 lb) de pointe de surlonge ou de bavette, avec 5 mm (1/4 de po) d'épaisseur de gras à l'extérieur

Marinade pour la viande

30 ml (2 c. à soupe) de romarin haché

30 ml (2 c. à soupe) d'ail haché

125 ml (1/2 tasse) d'huile d'olive extravierge

Glace au vinaigre balsamique

1 litre (4 tasses) de vinaigre balsamique

60 ml (1/4 de tasse) d'échalotes hachées

125 ml (1/2 tasse) de miel

500 ml (2 tasses) de cabernet sauvignon

Préparation à la roquette

15 ml (1 c. à soupe) d'huile d'olive

30 ml (2 c. à soupe) d'échalotes hachées

1 kg (2 lb) d'épinards, lavés, sans les tiges

125 ml (1/2 tasse) de roquette, lavée, sans les tiges

Garniture : 90 ml (1/3 de tasse) de parmesan en copeaux et un petit brin de romarin

Marinade : Mélanger tous les ingrédients et y faire mariner la viande toute la nuit.

Glace au vinaigre balsamique : Mélanger tous les ingrédients de la glace et faire réduire à 180 ml (3/4 de tasse).

Faire cuire le bœuf sur le gril, à saignant-à point ou au degré de cuisson désiré. Laisser reposer pendant quelques minutes pour permettre au jus de se stabiliser et d'être réabsorbé par la viande.

Préparation à la roquette : Entre-temps, faire chauffer l'huile et y faire revenir les échalotes à feu moyen-vif jusqu'à ce qu'elles soient transparentes. Ajouter les épinards et la roquette, et mélanger à feu vif. Saler et poivrer au goût. Répartir dans les assiettes.

Trancher le bœuf et le placer sur la préparation à la roquette. Arroser de glace au vinaigre balsamique et parsemer de copeaux de parmesan. Garnir d'un brin de romarin.

SUGGESTION DE VIN
Ernest & Julio Gallo Sonoma County Cabernet Sauvignon Sonoma
Un joli vin bien structuré et fruité, aux saveurs exquises agrémentées d'élégantes notes de chêne grillé. Délicieux avec cette pièce de viande.

Gâteau au citron et aux baies de Grand-mère Gallo

Comme le commentait Caroline Bailey, petite-fille de Julio Gallo : «Nos recettes sont simples mais concoctées avec goût.» Création de sa grand-mère Aileen, ce gâteau aux ingrédients très riches et abondants en est la révélation. À l'instar d'une patriarche, elle laisse au clan Gallo le souvenir d'une cuisine fraîcheur dont les influences sont souvent chevauchées de saveurs italiennes.

POUR 10 À 12 PERSONNES

LE MASCARPONE

Originaire de Lombardie, le mascarpone est un riche fromage frais, blanc et doux qui ressemble au fromage à la crème ou à la ricotta et qui contient environ 25 % de crème fraîche. On peut le remplacer par un fromage à la crème de type plus commercial.

Mousse au mascarpone

60 ml (1/4 de tasse) de crème à fouetter (fleurette) épaisse

3 jaunes d'œufs

45 ml (3 c. à soupe) de Cask & Cream (liqueur crémeuse de type brandy)

180 ml (3/4 de tasse) de sucre

500 g (1 lb) de mascarpone

Baies et vin

500 ml (2 tasses) de vin rouge

60 ml (1/4 de tasse) de sucre

5 ml (1 c. à thé) de jus de citron frais

500 ml (2 tasses) de fraises fraîches

250 ml (1 tasse) de framboises fraîches

250 ml (1 tasse) de bleuets (myrtilles) frais

250 ml (1 tasse) de mûres fraîches

Gâteau

450 g (15 oz) de beurre non salé (doux)

500 ml (2 tasses) de sucre

12 jaunes d'œufs

Zeste de 6 citrons

15 ml (1 c. à soupe) d'extrait d'amande

375 ml (1 1/2 tasse) de farine

180 ml (3/4 de tasse) de farine de maïs

15 ml (1 c. à soupe) de sel

8 blancs d'œufs

Mousse au mascarpone : Fouetter la crème en pics mous. Réfrigérer. Mettre les œufs, la liqueur et le sucre dans un bain-marie et fouetter jusqu'à ce que la préparation soit jaune clair et aérée. Le mélange devrait glisser du fouet comme un ruban. Verser le mascarpone dans un bol et y plier le quart du mélange aux jaunes d'œufs pour ramollir le fromage. Incorporer ensuite le reste du mélange aux jaunes d'œufs, suivi de la crème fouettée. Réfrigérer pendant au moins 1 heure.

Baies et vin : Mélanger le vin, le sucre et le jus de citron. Ajouter les baies et laisser mariner pendant 30 minutes à 1 heure. Réfrigérer.

Gâteau : Préchauffer le four à 180 °C (325 °F). Beurrer un moule à gâteau de 25 cm (10 po) de diamètre.

Réduire en crème le beurre et le sucre. Incorporer au fouet les jaunes d'œufs, le zeste de citron et l'extrait d'amande.

Mélanger les ingrédients secs. Dans un bol, fouetter les blancs d'œufs en pics mous. Y plier les 2/3 de la préparation à la farine, puis incorporer 1/4 des blancs d'œufs pour détendre la pâte afin de pouvoir incorporer le reste de la préparation à la farine. Ajouter le reste de la préparation à la farine (en faisant attention de ne pas trop mélanger, sinon la texture du gâteau sera ferme), y plier, en deux fois, le reste des blancs d'œufs. Verser dans le moule à gâteau et faire cuire au four pendant 15 à 20 minutes, jusqu'à ce que le centre du gâteau soit cuit. Sortir du four et renverser sur une grille. (Note : Si vous désirez un gâteau plus léger et plus délicat, remplacez toute la farine ou une partie seulement par de la farine à pâtisserie.)

Pour servir, placer une tranche de gâteau chaud ou à la température ambiante, garni de mousse au mascarpone et de baies marinées dans chaque assiette à dessert. Garnir d'un peu de sucre glace et d'un brin de menthe fraîche.

SUGGESTION DE VIN
Ernest & Julio Gallo Estate Chardonnay
D'une saveur et d'une complexité intenses, ce blanc est d'une finesse remarquable. Sa grâce et sa puissance sont éminentes, grâce à une sélection de raisins du nouveau monde et d'un savoir-faire traditionnel. Frais et vif avec cet entremets signé Gallo.

Ils partagent une passion non seulement pour la vitiviniculture, mais aussi pour la qualité de l'environnement. Dans leur charmante propriété de Sonoma, dont les influences architecturales rappellent celles de la Nouvelle-Angleterre, on est tout de suite séduit par la convivialité que ce couple inspire. Leur rencontre dans les années 1980 sera déterminante : lui, œnologue réputé au Château Saint-Jean à Sonoma, elle, originaire de Montréal et œuvrant dans l'industrie du vin en Californie, ensemble ils réaliseront une union des plus originales dans l'univers vitivinicole de cette région. Ce n'est qu'en 1990 que leur projet commun voit le jour au cœur d'un vignoble de 10 acres apte à produire des vins dont le goût est si exquis qu'ils jouissent prestement d'une renommée internationale. La philosophie qui les unit se concrétise dans la maximisation qualitative de leurs produits, sans qu'ils fassent de compromis, ni trop d'intervention. En dégustant leurs vins, on goûte cette occasion qu'ils ont laissé à la vigne et aux raisins de parfaire naturellement leurs arômes, en leur concédant patience pour atteindre leur maturité. Et Richard ajoute avec beaucoup de sagesse : « Je ne peux pas faire mieux que le raisin, mais je peux faire pire ; il faut apprendre à apprivoiser la nature du vignoble et ainsi lui laisser la possibilité de s'épanouir par lui-même. » D'une qualité exceptionnelle et d'un caractère inédit, leurs vins sont à l'image de la symbiose de leur couple.

une histoire d'amour vitivinicole
Richard et Alis
Arrowood

passionnée et inventive
Catherine Venturini

Même s'il ne lui reste de ses origines italiennes que le nom, Catherine, originaire de Californie, possède par-delà ses traits de Méditerranéenne un sens inné de la cuisine. Quel plaisir de l'entendre raconter que son arrière-grand-mère était une excellente cuisinière, que sa grand-mère était propriétaire d'une boulangerie à Berkeley, qu'une amie de sa mère avait un restaurant où elle a fait ses débuts comme plongeur et que, ainsi de suite, elle s'est familiarisée avec les rudiments de la cuisine. Passionnée de gastronomie depuis sa jeunesse, aucune recette ne l'intimide lorsqu'elle œuvre aux fourneaux. Après un séjour de onze ans sur l'île de Sainte-Croix, dans les Caraïbes, où elle fut propriétaire d'un restaurant, elle est revenue à son port d'attache du sud-ouest américain, inspirée par les saveurs aigres-douces et les épices des îles. Aujourd'hui, sous la bannière *Olive and Wine*, elle offre ses services comme traiteur où elle concocte avec imagination et simplicité des plats dont chaque flaveur se veut mémorable. Pour elle, la cuisine californienne se caractérise par la fraîcheur des produits, qu'il lui semble primordial de ne pas trop manipuler ou transformer. Par le fait d'encourager les fermiers de la région, elle connaît la provenance du maraîchage et le laps de temps écoulé depuis la cueillette. En s'inspirant des cuisines du monde, elle sent le besoin d'innover pour ainsi atteindre, à chacune de ses créations culinaires, le summum de ce goût dont elle a imaginé les subtilités.

Soupe à la courge musquée et aux pommes vertes

Presque toutes les courges d'hiver conviennent à cette recette, selon les degrés de douceur et de sucré que vous aimez. Cette soupe a été servie pour la première fois à un repas de fête privé en l'honneur de Robert Mondavi (chef de file de la viticulture californienne) et de quelques-uns de ses vieux amis, et il était agréable d'écouter le silence de ravissement qui régnait dans la pièce.

POUR 4 PERSONNES

1 kg (2 lb) de courges musquées, coupées en deux dans le sens de la longueur et rôties, la chair dessous, sur une plaque de cuisson jusqu'à ce qu'elles soient tendres, pendant environ 1 heure. Sortir les courges du four, les laisser refroidir, retirer la chair de la coquille et réserver.

1 grosse pomme verte Granny Smith, pelée et coupée en morceaux de 2,5 cm (1 po)

1 petit oignon jaune, coupé en morceaux de 2,5 cm (1 po)

15 ml (1 c. à soupe) de beurre

1 litre (4 tasses) de bouillon de légumes ou de poulet

250 ml (1 tasse) de jus de pomme non filtré

Sel et poivre, au goût

1 gros panais

500 ml (2 tasses) d'huile de canola pour la friture

Ciboulette ou cerfeuil (facultatif)

Dans une marmite qui n'est pas en aluminium, faire revenir la pomme et l'oignon dans le beurre, à feu moyen, jusqu'à ce qu'ils commencent à caraméliser, pendant 5 à 6 minutes. Mouiller avec le bouillon et le jus de pomme, puis ajouter les courges cuites. Faire cuire pendant environ 3 minutes, puis réduire en une consistance lisse au mélangeur (vous n'obtiendrez pas une consistance aussi lisse avec le robot culinaire). Attention ! ne passer qu'environ 500 ml (2 tasses) à la fois, car la préparation chaude augmentera de volume. Placer une serviette sur le dessus. Mélanger jusqu'à ce que la texture soit lisse et luisante, rectifier l'assaisonnement avec du sel et du poivre, au goût. Remettre sur le feu et garder au chaud.

Peler le panais et le couper en allumettes (s'il n'est pas frit immédiatement, le mettre dans de l'eau additionnée de jus de citron, l'égoutter et l'assécher avant la friture). Faire chauffer l'huile de canola dans une casserole, à feu moyen, à 190 °C (375 °F) et y faire frire le panais en deux fois jusqu'à ce qu'il soit doré, mais pas trop foncé, car il prendra un goût amer. Égoutter sur du papier absorbant et saupoudrer de sel.

Servir la soupe dans des bols chauds, avec une pile de panais allumettes au centre. Vous pouvez aussi ajouter un peu de fines herbes fraîches telles que ciboulette ou cerfeuil.

SUGGESTION DE VIN
Arrowood Grand Archer Chardonnay
Ce blanc offre des arômes de poire mûre, d'abricot et de citron, nuancés de fruits tropicaux épicés. Belle longueur en bouche équilibrée par les acides frais et une texture corpulente qui s'harmonisent à cette soupe de courge.

Pâté de champignons portobellos et crostini au fromage

C'est le plat le plus populaire lors des dégustations de vins chez Arrowood. Les saveurs intenses des champignons et de l'ail rôti font ressortir toutes les nuances de cet extraordinaire merlot suggéré. C'est de loin la recette la plus demandée au vignoble et l'une des préférées à conserver au congélateur pour recevoir les visiteurs inattendus.

DONNE UN PAIN DE 1 KG (2 LB)

625 g (1 1/4 lb) de champignons portobellos, sans les pieds (ou tout autre champignon frais)

1 échalote, hachée finement

15 g (1 c. à soupe) de beurre non salé (doux)

2 têtes d'ail rôties, pelées

1 œuf

125 ml (1/2 tasse) de parmesan râpé

125 ml (1/2 tasse) de chapelure

5 ml (1 c. à thé) de chaque ingrédient, haché : basilic et persil

10 ml (2 c. à thé) de vin blanc

60 ml (1/4 de tasse) de noix hachées finement (ou de pignons)

Sel de mer et poivre moulu, au goût

Crostini au fromage

1 baguette, en tranches de 5 mm (1/4 de po) d'épaisseur

125 ml (1/2 tasse) d'huile d'olive extravierge

Vella Dry Jack de Sonoma, parmesan ou fromage asiago, râpé finement

Préchauffer le four à 170 °C (325 °F). Briser les champignons en morceaux et les hacher finement au mélangeur. Verser dans un bol moyen. Dans une petite casserole, faire ramollir l'échalote dans le beurre pendant environ 4 minutes. Mettre l'échalote et tous les autres ingrédients dans le bol et bien mélanger. La consistance devrait ressembler à celle d'un pain de viande moelleux. Tapisser un moule à pain de papier parcheminé et le remplir de la préparation aux champignons. Placer le moule à pain dans un moule plus grand, rempli de 2 cm (3/4 de po) d'eau.

Couvrir lâchement de papier d'aluminium et faire cuire au four préchauffé pendant 1 heure ou jusqu'à ce que la préparation soit cuite.

Retirer le moule à pain du plat contenant de l'eau et laisser refroidir. Couvrir sans serrer d'une pellicule plastique et réfrigérer pendant toute la nuit.

Crostini au fromage : Étaler les tranches de baguette dans une plaque de cuisson, arroser d'huile d'olive et parsemer de fromage. Faire griller légèrement au four à 180 °C (350 °F). Peut se conserver jusqu'à 5 jours dans un contenant hermétique.

Pour servir, retirer le papier parcheminé du moule contenant la préparation aux champignons et trancher celle-ci. Servir sur les crostini.

SUGGESTION DE VIN
Arrowood Merlot Sonoma County

La couleur d'encre rouge rubis de ce merveilleux vin est simplement une allusion aux arômes et à la saveur intenses et concentrés qui suivent. Des saveurs de mûres, de prunes et de cerises noires ressortent sur un fond de vanille à la crème et de chaudes épices brunes. Superbement équilibré avec une amplitude douce, fondante en bouche, des tanins matures et un doux fini de chêne en fût qui persiste.

Rouleaux de printemps au homard et sauce ponzu

Ces rouleaux sont rafraîchissants et croquants, en plus d'être bons pour la santé et agréables à l'œil. Ils ne peuvent être assemblés que le jour même. Vous pouvez cependant préparer tous les ingrédients la veille. Les feuilles pour rouleaux de printemps et la sauce hoisin sont offertes dans les épiceries asiatiques.

DONNE 12 ROULEAUX

Sauce Ponzu

20 ml (4 c. à thé) de sauce hoisin chinoise

10 ml (2 c. à thé) de sauce soja

Jus de 2 citrons verts

2,5 ml (1/2 c. à thé) de gingembre frais râpé

2,5 ml (1/2 c. à thé) de coriandre hachée (facultatif)

5 ml (1 c. à thé) de sauce au chili sambal (ou de piment chili en flocons ou d'huile de piment chili)

15 ml (1 c. à soupe) d'arachides grillées hachées (facultatif)

12 feuilles pour rouleau de printemps vietnamien, de 25 cm (10 po) de diamètre

12 feuilles de laitue verte, sans les côtes, en morceaux de 5 à 8 cm (2 à 3 po)

1 concombre de serre, avec la peau, dégorgé et tranché en julienne

1 grosse carotte, pelée et tranchée en julienne

1 petit poivron rouge, épépiné et tranché en julienne

125 g (1/4 de lb) de germes de soja croquants

125 g (1/4 de lb) de pois mange-tout, rapidement blanchis et tranchés en julienne

500 à 750 g (1 à 1 1/2 lb) de chair de homard cuit, en tranches de 1 cm (1/2 po), avec du sel, du poivre et du zeste de citron vert

60 ml (4 c. à soupe) de chaque ingrédient grossièrement haché, mélangé : basilic, menthe, coriandre et ciboule

Sauce Ponzu : Mélanger tous les ingrédients dans un petit bol. Ajouter du chili au goût et des arachides sur le dessus au moment de servir.

Remplir un grand bol peu profond d'eau très chaude. Mettre une feuille de rouleau printanier dans l'eau et, lorsqu'elle devient souple, après environ 45 secondes, la retirer de l'eau et la poser à plat sur du papier absorbant. Mettre une feuille de laitue au centre, puis déposer dessus de petites quantités de concombre, de carotte, de poivron, de germes de soja et de pois mange-tout. Ajouter quelques morceaux de homard et une généreuse pincée de la préparation aux fines herbes et à la ciboule. Rouler la feuille le plus serré possible en repliant les extrémités et sans la déchirer. Recommencer avec le reste des ingrédients. Placer les rouleaux sur du papier absorbant humide et les couvrir aussi de papier absorbant humide. Ne pas réfrigérer, car les rouleaux se fendilleront et sècheront. Pour servir, couper en deux en biseau et servir avec la sauce Ponzu.

> ### SUGGESTION DE VIN
> **Arrowood Viognier, Saralee's Vineyard**
> D'une couleur d'acier-vert doré, ce blanc exhale d'intenses arômes de chèvrefeuille, de fleur d'oranger et de litchi qui se marient aux notes fraîches d'agrumes, dotées d'une touche de jasmin. Les arômes et les saveurs sont si riches et concentrés qu'il en est presque sucré bien qu'il soit sec. Un heureux mariage avec les rouleaux du printemps.

Salade de laitue, endives, figues, bleu et noix de pécan épicées

Toujours très appréciée, cette recette est la création de Carol Mascoli, chef au Sonoma Mission Inn. On peut changer les fruits au fil des saisons, par exemple en utilisant des pêches, des poires et des nectarines à la place des figues.

POUR 4 À 6 PERSONNES

Vinaigrette

15 ml (1 c. à soupe) de vinaigre balsamique blanc

45 ml (3 c. à soupe) d'huile d'olive extravierge

5 ml (1 c. à thé) de cerfeuil frais

Sel de mer et poivre noir, fraîchement moulu

Noix de pécan épicées

375 ml (1 1/2 tasse) d'eau

180 ml (3/4 de tasse) de noix de pécan en moitiés

25 ml (1 1/2 c. à soupe) de sucre glace

300 ml (1 1/4 tasse) d'huile de canola pour la friture

Sel de mer et poivre de Cayenne, au goût

1 grosse ou 2 petites laitues beurre rouges ou vertes, lavées, asséchées, déchirées en gros morceaux

2 endives rouges ou vertes, en tranches de 1 cm (1/2 po) d'épaisseur

8 à 10 figues noires, en quartiers (ou une autre variété mûre, selon la saison)

Sel et poivre, au goût

125 g (1/4 de lb) de bleu de bonne qualité, émietté grossièrement

Vinaigrette : Fouetter ensemble les ingrédients pour la vinaigrette dans un petit bol, réserver.

Noix de pécan épicées : Dans une casserole moyenne, faire bouillir l'eau, ajouter les noix de pécan et faire cuire de 2 à 3 minutes. Égoutter, mettre dans un bol moyen et mélanger avec le sucre glace. Entre-temps, faire chauffer l'huile à 190 °C (375 °F) dans une casserole moyenne à fond épais. Ajouter les noix de pécan en deux fois et faire cuire jusqu'à ce qu'elles soient croquantes et dorées, environ 3 à 4 minutes. (Note : Faire attention que l'huile ne soit pas trop chaude, car les noix de pécan brûleront, ni trop froide, car elles ne seront pas suffisamment croquantes.)

Mettre sur une plaque de cuisson tapissée de papier parcheminé ou ciré, saupoudrer de sel de mer et de poivre de Cayenne, au goût. Peut se conserver 1 mois dans un contenant hermétique.

Pour servir, mélanger les laitues, les endives, les figues et les noix de pécan épicées dans un grand bol, incorporer délicatement la vinaigrette, saler et poivrer. Parsemer de bleu.

> **SUGGESTION DE VIN**
> **Arrowood Chardonnay, Réserve spéciale**
> Pourvu de délicats arômes de pêche, de poire, de melon avec un léger goût de pomme, ce chardonnay s'accorde parfaitement avec les saveurs fruitées et épicées de cette salade.

Flétan enrobé de crabe avec un risotto au poireau et au fenouil

Ce plat est un des préférés de la chef Catherine Venturini car à l'instar de ses origines, les fruits de mer provenant de la côte de Sonoma ont des racines californiennes et les légumes rôtis, le safran et le risotto réveillent en elle des saveurs de ses origines italiennes. Le flétan peut être remplacé par du bar rayé ou du vivaneau et le crabe, par des crevettes.

POUR 4 PERSONNES

Bouillon de tomates grillées au safran

6 tomates italiennes, coupées en deux dans le sens de la longueur

1 blanc de poireau coupé en deux, lavé et détaillé en morceaux de 1 cm (1/2 po)

6 gousses d'ail entières

1/2 bulbe de fenouil paré, détaillé en tranches de 1 cm (1/2 po) d'épaisseur

3 brins de thym frais et 3 feuilles de sauge fraîche

30 ml (2 c. à soupe) d'huile d'olive extravierge

250 ml (1 tasse) de vin blanc sec

125 ml (1/2 tasse) d'eau

1 ml (1/4 de c. à thé) de safran en filaments (ou au goût)

Risotto au poireau et au fenouil

Environ 1,5 litre (6 tasses) de bouillon de poulet ou de légumes léger

30 ml (2 c. à soupe) d'huile d'olive extravierge

1/2 bulbe de fenouil frais, l'intérieur évidé et tranché mince

1 petit blanc de poireau, lavé et tranché mince

2,5 ml (1/2 c. à thé) d'ail haché finement

5 ml (1 c. à thé) de sel de mer

500 ml (2 tasses) de riz arborio

125 ml (1/2 tasse) de vin blanc sec

30 ml (2 c. à soupe) de beurre non salé (doux)

60 ml (1/4 de tasse) de parmesan râpé

Sel de mer et poivre fraîchement moulu

Flétan enrobé de crabe

250 g (1/2 lb) de chair de crabe frais ou des crevettes

15 ml (1 c. à soupe) de fines herbes fraîches telles que basilic, ciboulette, persil

15 ml (1 c. à soupe) de panure maison

1 jaune d'œuf ou 15 ml (1 c. à soupe) de beurre non salé (doux), ramolli

Jus de 1 citron

15 ml (1 c. à soupe) d'huile d'olive

4 filets de flétan frais, sans la peau, de 150 g (1/3 de lb) chacun

Préchauffer le four à 230 °C (450 °F).

Bouillon de tomates grillées au safran : Dans un bol, bien mélanger les tomates, le poireau, l'ail, le fenouil, le thym et l'huile d'olive et étendre sur une plaque de cuisson. Faire griller au four jusqu'à ce que les légumes commencent à brunir et à caraméliser, pendant environ 25 minutes. Au robot culinaire, réduire le tout en purée et verser dans une casserole. Incorporer le vin, l'eau et le safran. Bien faire réchauffer ; ajouter du vin ou de l'eau selon la consistance désirée.

Risotto au poireau et au fenouil : Verser le bouillon dans une casserole et le faire chauffer jusqu'à ce qu'il frémisse. Faire chauffer l'huile d'olive dans une grande casserole à feu moyen. Y faire sauter le fenouil, le poireau, l'ail et le sel jusqu'à ce qu'ils soient ramollis (ne pas laisser brunir). Incorporer le riz et faire cuire en remuant jusqu'à ce qu'il soit chaud. Mouiller avec le vin et laisser mijoter, en remuant, jusqu'à ce qu'il soit absorbé. Ajouter le bouillon chaud, 250 ml (1 tasse) à la fois, en remuant souvent et en ajoutant plus de liquide lorsqu'il est tout absorbé. Régler le feu pour maintenir un léger frémissement. Il faut compter environ 20 minutes pour que le riz soit crémeux et *al dente*. Ajuster la quantité de bouillon, au besoin. Retirer du feu, incorporer le fromage et le beurre, assaisonner de sel et de poivre.

Flétan enrobé de crabe : Dans un petit bol, mélanger très délicatement tous les ingrédients, sauf le flétan, en tentant de conserver les morceaux de crabe aussi intacts que possible. Faire chauffer l'huile d'olive dans une poêle moyenne, à feu moyen-vif et y faire saisir les

filets de flétan, assaisonnés de sel et de poivre, jusqu'à ce qu'ils soient dorés; retourner.

Retirer la poêle du feu et couvrir uniformément chaque filet de poisson de la préparation au crabe. Faire cuire au four jusqu'à ce que le poisson soit cuit et la croûte légèrement dorée, pendant 10 à 12 minutes. Servir dans un plat à large bord sur le risotto au poireau et au fenouil et entouré de bouillon aux tomates grillées et au safran.

SUGGESTION DE VIN
Arrowood Syrah, Saralee's Vineyard Russian River Valley

Robe rouge grenat d'où se découvre un mélange terreux de chocolat, de baies savoureuses avec des notes de jasmin, de réglisse et d'anis. En bouche, de douces saveurs fruitées de cassis et de prunes lui confèrent un joli équilibre et une note de chêne grillé qui perdure.

Côtes d'agneau aux figues et aux pignons avec polenta crémeuse au fromage

Ce plat à l'agneau est concocté avec des ingrédients dont l'influence est méditerranéenne et plus particulièrement italienne.

POUR 4 PERSONNES

POLENTA

Base de la cuisine montagnarde et paysanne, la polenta est une semoule de maïs qui est originaire du nord de l'Italie mais dont la consommation est aujourd'hui très populaire à travers la grande botte. La semoule est une farine qui peut être à base de blé, de riz, de maïs, etc., et dont la texture est granuleuse. L'un des exemples en est le couscous moulu finement.

Sauce aux figues et aux pignons

8 figues, séchées

125 ml (1/2 tasse) de vin rouge

1 échalote, hachée finement

2,5 ml (1/2 c. à thé) de sucre

2,5 ml (1/2 c. à thé) de vinaigre de vin rouge

Zeste de 1/2 citron

15 ml (1 c. à soupe) de persil plat haché

45 ml (3 c. à soupe) de pignons rôtis hachés grossièrement

15 ml (1 c. à soupe) d'huile d'olive extravierge

15 ml (1 c. à soupe) de sirop de grenade (vendu dans les boutiques d'aliments naturels)

8 côtelettes d'agneau ou côtes de porc de grain, de 3 cm (1 1/4 po) d'épaisseur

Sel et poivre noir fraîchement moulu

Épices grillées et moulues : mélange de 60 ml (4 c. à soupe) de graines d'aneth, 15 ml (1 c. à soupe) de coriandre, 15 ml (1 c. à soupe) de sel, 12 ml (3/4 de c. à soupe) de grains de poivre blanc

Polenta crémeuse au fromage

500 ml (2 tasses) de bouillon de poulet ou d'eau

250 ml (1 tasse) de crème épaisse

2,5 ml (1/2 c. à thé) de muscade fraîchement râpée

4 ml (3/4 de c. à thé) de sel de mer

Poivre noir fraîchement moulu

75 ml (5 c. à soupe) de polenta

75 ml (5 c. à soupe) de semoule

60 ml (1/4 de tasse) de parmesan fraîchement râpé

125 ml (1/2 tasse) de cresenza ou de cheddar

Préchauffer le gril du four ou du barbecue.

Sauce aux figues et aux pignons : Mettre les figues, le vin rouge, l'échalote, le sucre et le vinaigre dans une petite casserole et faire chauffer à feu moyen jusqu'à ce que les figues soient bien gorgées, pendant environ 10 minutes. Retirer du feu et laisser refroidir. Égoutter les figues et les couper en quartiers, réserver le liquide de cuisson (il pourrait être utile plus tard). Mettre les figues dans un petit bol, ajouter le zeste de citron, le persil, les pignons et l'huile d'olive. Ajouter le sirop de grenade (qui peut être remplacé par le liquide de cuisson réservé, réduit en un sirop léger).

Polenta crémeuse au fromage : Mélanger le bouillon et la crème dans une casserole à fond épais et amener à ébullition. Ajouter la muscade, le sel et le poivre. Incorporer en fouettant la polenta et la semoule, faire cuire à feu très doux en remuant régulièrement, jusqu'à ce que les grains soient ramollis, pendant environ 8 minutes. Ajouter les fromages juste avant de servir.

Assaisonner les deux faces des côtelettes d'agneau de sel, de poivre fraîchement moulu et d'une généreuse pincée des épices grillées et moulues.

Faire cuire à saignant-à point, environ 5 minutes par côté, selon l'épaisseur.

Servir la viande accompagnée de sauce aux figues et aux pignons, de polenta crémeuse au fromage et de légumes du marché.

> **SUGGESTION DE VIN**
> **Arrowood Cabernet Sauvignon, Sonoma County**
> Vin complexe qui poursuit au fil des millésimes la tradition établie de cette *winery*. D'une profonde couleur sombre aux arômes intenses de cerises noires et de cassis, et aux saveurs de baies foncées et de crème de cassis qui mettent l'eau à la bouche, ce rouge s'avère divin avec ce plat d'agneau.

Pouding au pain et aux poires et crème anglaise

Lorsque l'on cuisine des repas de trois ou quatre plats à Arrowood, on prépare toujours un dessert aux fruits sans citron ni chocolat pour présenter les somptueux vins des dernières vendanges. Ce dessert convient parfaitement et, de plus, il s'accompagne des délicieux pains artisanaux de Sonoma.

POUR 4 À 6 PERSONNES

LA CARDAMOME

Originaire de l'Orient, la cardamome, qui existe en plusieurs variétés, est une graine très parfumée et légèrement poivrée. Substituée au gingembre ou à la cannelle, elle sert, entre autres, à aromatiser les plats de viande, de poisson, les charcuteries, les desserts, le thé et le café.

Crème anglaise au gingembre et à la cardamome
DONNE 500 ML (2 TASSES)

4 gros jaunes d'œufs

60 ml (1/4 de tasse) de sucre

250 ml (1 tasse) de lait

180 ml (3/4 de tasse) de crème épaisse

1 morceau de gingembre frais de 2,5 cm (1 po), pelé et tranché

1/2 gousse de vanille fendue en 2 dans le sens de la longueur

1 ml (1/4 de c. à thé) de cardamome moulue

Pouding

3 grosses poires à moitié mûres

75 ml (5 c. à soupe) de beurre non salé (doux), très mou

15 ml (1 c. à soupe) de cassonade dorée

15 ml (1 c. à soupe) de gingembre frais râpé

4 gros œufs

180 ml (3/4 de tasse) de lait

75 ml (5 c. à soupe) de sucre

2,5 ml (1/2 c. à thé) de cannelle

30 ml (2 c. à soupe) de rhum foncé (facultatif)

8 à 10 tranches de pain de campagne rustique de 2,5 cm (1 po) d'épaisseur

125 ml (1/2 tasse) de mascarpone

Crème anglaise au gingembre et à la cardamome : Dans un bol moyen, fouetter ensemble les jaunes d'œufs et le sucre jusqu'à ce que le mélange soit légèrement coloré. Verser le lait et la crème épaisse dans une casserole moyenne et faire chauffer à feu moyen avec le gingembre et la gousse de vanille. Amener à faible ébullition et baisser le feu à doux. Au fouet, incorporer aux œufs environ 60 ml (1/4 de tasse) de préparation au lait, puis ajouter le reste de la préparation au lait et remettre dans la casserole. Faire cuire la crème anglaise à feu moyen en remuant continuellement avec une cuillère en bois jusqu'à ce que le mélange ait la consistance d'une crème épaisse. Jeter les morceaux de gingembre et la gousse de vanille et filtrer dans un bol en métal moyen. Ajouter la cardamome. Placer au-dessus d'un bol d'eau glacée et faire refroidir.

Pouding : Peler et détailler les poires en tranches de 1 cm (1/2 po). Faire fondre 15 ml (1 c. à soupe) de beurre avec la cassonade et le gingembre à feu moyen, jusqu'à faible ébullition. Ajouter les tranches de poire et faire cuire pendant 3 à 4 minutes ; les poires doivent demeurer fermes, mais enrobées de caramel. Retirer la casserole du feu et laisser refroidir.

Fouetter ensemble les œufs, le lait, 45 ml (3 c. à soupe) de sucre, la cannelle et le rhum, s'il y a lieu. Réserver.

Tartiner généreusement de beurre chacun des morceaux de pain et les faire griller au four. Dans un plat de cuisson profond de 25 cm (10 po) de diamètre, alterner des morceaux de pain et des tranches de poire. Parsemer le pain de petits morceaux de mascarpone, puis verser la préparation aux œufs et au lait sur le tout et laisser reposer pendant 1 heure.

Préchauffer le four à 200 °C (400 °F). Saupoudrer le pouding du reste du sucre (30 ml /2 c. à soupe). Faire cuire au four jusqu'à ce qu'il soit gonflé, doré et cuit, 20 à 30 minutes.

Servir chaud avec la crème anglaise au gingembre et à la cardamome.

> ### SUGGESTION DE VIN
> **Arrowood Special Select Late Harvest White Riesling, Hoot Owl Creek Vineyards**
> Élaboré à partir de vendanges tardives, ce riesling est chargé de parfums de pêche et d'abricot, chevauchant des notes de pomme et de caramel au beurre. En bouche, les saveurs de fruits mûrs et de melon miel sont très présentes et en font un joli vin de dessert.

Nichée au cœur de la vallée de Napa et réputée comme l'une des plus anciennes de cette région, la *winery* Beringer incarne à travers son historique une tradition dont les caractéristiques perdurent au cœur de sa production vinicole. Devenu en 1875 la propriété des frères Jacob et Frederick Beringer, originaires d'Allemagne, cet important domaine viticole a su mener, depuis sa fondation, chaque millésime vers le succès. Au cours des années 1919 à 1933, où sévissait la prohibition et où l'on défendait à quiconque d'élaborer des vins, cette *winery* fut l'une des seules à obtenir le droit de vinifier. Autre fait intéressant à souligner : en 118 ans d'existence, seulement six œnologues s'y sont succédé, d'où la constance qui marque le cours de son évolution. Ce qui différencie Beringer des autres *wineries* a toujours été le souci de produire des vins de qualité dont l'esprit reflète à la fois la tradition et la technologie moderne, ce qui contribue de nos jours aux fondements intrinsèques de sa renommée internationale. Depuis 1934, le public est invité à faire le tour du propriétaire pour admirer les 17 appartements logés dans le Rhine House ou alors à se familiariser avec la Old Stone Winery, dont le chai pourvu de nombreux tunnels rappelle l'atmosphère de certaines caves européennes réputées. À l'instar des nombreux nectars qui sont offerts en dégustation sous la thématique « accord des mets et vins », Beringer renforce l'image d'une *winery* où la convivialité et les valeurs traditionnelles sont partie intégrante de sa philosophie.

une *winery* historique
Beringer

un artiste culinaire
David Frakes

Depuis qu'il œuvre chez Beringer, David se rend une fois la semaine au Farmer's Market de Napa ou de Santa Helena pour sélectionner les meilleures denrées biologiques et, par le fait même, encourager les producteurs locaux. Même s'il voue une grande admiration à la cuisine californienne, ses expériences culinaires relèvent plutôt de techniques de base d'une cuisine française allégée. Ainsi a-t-il remplacé la crème et le beurre par des sauces à base de jus de fruits et de légumes. « Il est primordial, dit-il, de laisser parler les aliments et de concocter des plats savoureux que les gens auront plaisir à découvrir. C'est ici que commence la véritable création. » En élaborant ses recettes où se chevauchent des parfums aux influences ethniques, il s'assure toujours de trouver une harmonie avec le vin. En effet, pour lui, il s'avère très important de chercher un équilibre entre ce que l'on mange et ce que l'on boit. En déclinant les divers métiers qu'il a exercés, de pâtissier à boucher, de propriétaire d'un *bed & breakfast* à chef exécutif, il évoque en même temps l'influence de sa grand-mère gastronome qui se plaisait, entre autres, à lui raconter ses expériences gourmandes lors de ses séjours en France. Outre les arômes et les saveurs, il en a retenu un sens de la perfection qui se reflète à travers ses plats et qui en fait un chef émérite.

Terrine de betteraves marinées et de bleu

Voici une entrée colorée, originale et sapide qui demande certes une certaine adresse pour son assemblage mais dont le résultat en vaut la peine. Bien évidemment, les betteraves jaunes n'abondent pas sur les marchés. Alors il faut se contenter des rouges qui sont plus classiques, mais tout aussi goûteuses.

DONNE 12 PORTIONS, OU 1 TERRINE DE LA TAILLE D'UN MOULE À PAIN

750 g (1 1/2 lb) de grosses betteraves rouges
750 g (1 1/2 lb) de grosses betteraves jaunes
6 feuilles de gélatine
375 ml (1 1/2 tasse) d'eau froide
250 g (1/2 lb) de bleu
Sel au goût

Vinaigrettes

15 ml (1 c. à soupe) de moutarde de Dijon
125 ml (1/2 tasse) de vinaigre de vin de riz
250 ml (1 tasse) d'huile d'olive extravierge
5 ml (1 c. à thé) de sel

(Tous les ingrédients devraient être divisés en deux et répartis entre les deux sortes de betteraves.)

Préchauffer le four à 200 °C (400 °F). Rincer les betteraves sous l'eau froide, les assécher, les mélanger à un peu d'huile d'olive et les envelopper dans du papier d'aluminium (en séparant les deux sortes). Faire cuire au four pendant 45 minutes à 1 heure, ou jusqu'à ce qu'elles soient tendres sous la fourchette. Sortir du four et laisser refroidir. Éplucher les betteraves et les détailler en dés de 5 mm (1/4 de po). Maintenir les sortes de betteraves séparées jusqu'à la dernière minute. Réserver.

Plonger un couteau bien coupant dans de l'eau très chaude, puis l'essuyer et couper doucement le bleu en lanières de 2,5 x 2,5 cm (1 po x 1 po). Si le fromage s'émiette, redonnez-lui sa forme lorsque vous le dresserez.

Pour préparer le moule : Rincer l'intérieur du moule à l'eau et le secouer pour l'assécher. Tapisser l'intérieur d'une pellicule de plastique en vous assurant de la faire dépasser d'au moins 10 cm (4 po) à chaque extrémité. L'eau facilitera l'adhésion de la pellicule plastique mais aplanissez la surface le plus possible.

Verser l'eau froide dans un petit bol et y ajouter les feuilles de gélatine en morceaux.

Laisser ramollir pendant au moins 10 minutes. Mettre 500 ml (2 tasses) d'eau dans une petite casserole et amener à faible ébullition. Retirer la gélatine ramollie de l'eau froide et la mettre dans l'eau chaude. Retirer immédiatement du feu et mélanger pour que la gélatine se dissolve complètement.

Réserver 125 ml (1/2 tasse) de chaque sorte de betteraves pour les vinaigrettes. Mettre les betteraves restantes dans deux bols et répartir la gélatine entre les deux. Assaisonner et bien mélanger pour la répartir uniformément. Filtrer les betteraves séparément et conserver le jus. Verser les betteraves rouges dans le moule (en le remplissant à moitié seulement). Étaler ensuite le fromage et verser délicatement suffisamment de jus de betteraves rouges pour couvrir. Réfrigérer pendant 15 minutes pour permettre à la gélatine de prendre. Couvrir avec les betteraves jaunes, niveler, puis verser le jus des betteraves jaunes pour couvrir. (Ne pas surcharger !) Sceller avec la pellicule plastique en en faisant chevaucher les bords, puis poser dessus un objet lourd et plat pour presser le contenu de la terrine. Réfrigérer pendant 24 heures.

Vinaigrettes : Combiner les 125 ml (1/2 tasse) de chaque sorte de betteraves réservées au mélangeur avec la moitié des ingrédients de la vinaigrette pendant au moins 1 minute. Réserver. Démouler avec précaution et utiliser un couteau très chaud pour trancher la terrine. Garnir des deux vinaigrettes, d'une petite salade et de croûtons, si désiré.

SUGGESTION DE VIN
Beringer Carneros Pinot Noir

Ce pinot noir classique rouge grenat possède un nez de fruits rouges agrémenté par des arômes de vanille sucrée et d'épices. Des saveurs de cerise, de framboise, de canneberge (airelle), et de poivre blanc se prolongent en de soyeux tanins fruités.

Galettes de crabe, salade de concombre et coriandre et sa vinaigrette

Tout à fait exquise, cette recette ! Bien sûr que la version classique se concocte avec de la chair de crabe (éviter celle qui est en conserve à cause de son goût métallique), mais vous pouvez utiliser des crevettes ou du homard frais.

POUR 6 PERSONNES

Galettes de crabe

500 g (1 lb) de chair de crabe en morceaux

60 ml (1/4 de tasse) de poivron rouge ou jaune, pelé et coupé en petits dés

45 ml (3 c. à soupe) de mayonnaise

45 ml (3 c. à soupe) de chapelure

15 ml (1 c. à soupe) de chaque ingrédient : ciboulette et persil frais

Sel et poivre au goût

Salade de concombre et coriandre

15 ml (1 c. à soupe) de vinaigre de xérès ou de riz

5 ml (1 c. à thé) de moutarde de Dijon

Sel au goût

45 ml (3 c. à soupe) d'huile d'olive extravierge

1 concombre anglais, pelé et en julienne

4 branches de céleri en julienne

40 feuilles de coriandre

Huile au safran

5 ml (1 c. à thé) de safran

5 ml (1 c. à thé) d'eau très chaude

2,5 ml (1/2 c. à thé) d'échalotes hachées finement

1 gousse d'ail, hachée finement

125 ml (1/2 tasse) d'huile de maïs

Vinaigrette

15 ml (1 c. à soupe) de moutarde à l'ancienne

30 ml (2 c. à soupe) de vinaigre de vin de riz

30 ml (2 c. à soupe) d'huile d'olive extravierge

Sel au goût

Galettes de crabe : Presser délicatement le crabe pour en éliminer l'excès de jus et le mettre dans un grand bol. Mélanger doucement tous les autres ingrédients des galettes de sorte que le crabe demeure en morceaux. Donner les formes désirées et faire dorer sur toutes les faces dans une poêle chaude enduite d'huile d'olive (environ 2 minutes par côté). Réchauffer au four au besoin.

Salade de concombre et coriandre : Mélanger le vinaigre, la moutarde et le sel dans un petit bol. Au fouet, incorporer l'huile puis mélanger le concombre, le céleri et la coriandre. Réserver.

Huile au safran : Couvrir le safran d'eau chaude et le laisser tremper pendant environ 10 minutes pour en libérer la couleur. Sur un feu très doux, faire suer lentement l'échalote et l'ail dans un peu d'huile jusqu'à ce qu'ils soient ramollis (3 à 5 minutes). Ajouter le safran, l'eau et le reste d'huile. Amener à faible ébullition, retirer immédiatement du feu et laisser refroidir. Bien mélanger au mélangeur. Conserver à couvert au réfrigérateur pendant 1 journée avant de filtrer (si désiré).

Vinaigrette : Mélanger les ingrédients avec 30 à 45 ml (2 à 3 c. à soupe) d'huile au safran et rectifier l'assaisonnement au besoin.

Pour servir, accompagner les galettes chaudes de salade de concombre et de coriandre.

SUGGESTION DE VIN
Beringer Private Reserve Chardonnay
Ce chardonnay combine les arômes d'ananas, de poire, de chêne grillé fumé et de caramel au beurre avec des saveurs d'agrumes, de beurre, de pomme qui offrent en bouche une longue finale d'ananas juteux et de citron vert. Parfaite harmonie avec ces galettes de crabe.

Médaillons de saumon, tomates et asperges rôties

Natif des côtes du Pacifique en Californie, le saumon utilisé pour créer cette recette est dénommé « King » à cause de son prix élevé chez les poissonniers. De préférence, choisir un poisson dont la surface est humide et brillante, la chair ferme et l'odorat frais. Ce poisson a bonne réputation puisqu'il contient un taux élevé d'acides gras de type Oméga-3 qui jouent un rôle protecteur contre les maladies cardiaques. Même s'il compte de nombreuses protéines, il n'a pas plus de 200 calories par portion de 90 g (3 oz). Alors pourquoi s'en priver ?

POUR 4 PERSONNES

Tomates rôties

4 grosses tomates mûres

15 ml (1 c. à soupe) d'huile d'olive extravierge

Sel et poivre au goût

Asperges rôties

20 pointes d'asperges coupées en biais en morceaux de 5 cm (2 po), (environ 3 morceaux par asperge)

Huile d'olive extravierge

Sel et poivre au goût

Médaillons

4 filets de saumon de 180 g (6 oz) chacun

Sel et poivre au goût

Huile d'olive extravierge (pour la cuisson)

Tomates rôties : Préchauffer le four à 100 °C (200 °F). Faire blanchir les tomates dans de l'eau bouillante salée pendant environ 10 secondes. Les retirer de l'eau et les plonger dans un bol d'eau glacée. Égoutter et peler. Détailler les tomates en quartiers et les épépiner. Mélanger les tomates avec l'huile d'olive et un peu de sel et de poivre. Déposer dans un plat à l'épreuve de la chaleur tapissé de papier d'aluminium et faire cuire au four pendant 1 1/2 à 2 heures ou jusqu'à ce que les tomates aient légèrement séché tout en restant encore moelleuses. Réserver.

Asperges rôties : Préchauffer le four à 200 °C (400 °F). Mettre un petit moule métallique au four, pendant 15 minutes. Mettre les asperges et l'huile d'olive dans un petit bol. Bien assaisonner et mélanger pour que les asperges soient bien enrobées d'huile. Déposer les asperges dans le moule chaud et faire rôtir au four pendant 5 à 7 minutes ou jusqu'à ce qu'elles soient cuites, mais encore croquantes. Sortir du four et réserver.

Rouler chaque filet de saumon en médaillon et le fixer au centre avec un cure-dents. Assaisonner chaque face des médaillons, puis les déposer délicatement dans une poêle chaude enduite d'huile d'olive. Faire saisir à feu vif pendant 3 à 4 minutes par face pour une cuisson saignant-à point. Pour une cuisson saignant-à point, le cure-dents devrait être chaud lorsque placé sur votre lèvre inférieure.

Dresser le saumon au milieu de l'assiette. L'entourer de trois quartiers de tomate disposés en spirale. Parsemer de quelques morceaux d'asperge. Garnir d'une petite salade, si désiré.

SUGGESTION DE VIN
Beringer Alluvium Blanc
L'œnologue Ed Sbragia et son associée Laurie Hook, ont produit ce vin blanc qui est bien rond et luxuriant en bouche, avec des arômes et des saveurs de vanille grillée, de chêne et de noisette.

Bar rayé en croûte de polenta et huile au cari

Appelé communément bar ou loup de mer, ce poisson à la chair délicate et goûteuse est très recherché parce qu'il contient très peu d'arêtes. Cette recette sera quand même une réussite si l'on remplace le bar par de la lotte, du flétan ou du saumon. On peut également remplacer la croûte de polenta par des lentilles, du quinoa, de l'amarante ou tout type de riz. Trouvaille culinaire originale du chef David Frakes !

POUR 4 PERSONNES

Huile au cari

1/2 échalote, hachée finement

1 gousse d'ail, hachée finement

60 ml (1/4 de tasse) d'huile de maïs

15 ml (1 c. à soupe) de cari

Fondue

15 ml (1 c. à soupe) de beurre non salé (doux)

15 ml (1 c. à soupe) d'eau

12 mini-carottes pelées et cuites dans de l'eau bouillante salée pendant 5 à 7 minutes

500 g (1 lb) de pois anglais cuits dans de l'eau bouillante salée pendant 4 à 5 minutes

Bar rayé en croûte de polenta

750 g (1 1/2 lb) de bar rayé, ou tout autre poisson à chair ferme, coupé en 4 morceaux de 180 g (6 oz) chacun

Sel et poivre au goût

125 ml (1/2 tasse) de polenta (ou toute autre céréale réduite en poudre avec un moulin à épices)

60 ml (1/4 de tasse) de farine

5 ml (1 c. à thé) de paprika

1 pincée de poivre de Cayenne

Huile d'olive extravierge pour la cuisson

Huile au cari : Faire revenir l'échalote et l'ail dans 15 ml (1 c. à soupe) d'huile de maïs à feu moyen pendant 4 à 5 minutes. Ajouter le cari et faire griller pendant environ 20 secondes. Ajouter le reste de l'huile, amener à faible ébullition et retirer immédiatement du feu. Bien fouetter et laisser reposer pendant au moins 4 à 6 heures au réfrigérateur avant de filtrer (si désiré).

Fondue : Mettre le beurre et l'eau dans une sauteuse très chaude. Une fois le beurre fondu, ajouter les carottes et les pois. Assaisonner et poursuivre la cuisson pendant 3 à 4 minutes, ou jusqu'à ce que les légumes soient bien chauds. Réserver.

Préchauffer le four à 180 °C (350 °F). Assaisonner les deux faces du poisson. Bien mélanger tous les ingrédients secs de la croûte de polenta dans un petit bol. Tremper un côté du poisson dans le mélange, puis le déposer délicatement dans une poêle très chaude enduite d'huile d'olive, la croûte dessous. Faire cuire pendant 3 à 4 minutes, ou jusqu'à ce qu'il soit doré, retourner délicatement, mettre immédiatement la poêle au four et poursuivre la cuisson pendant 2 à 3 minutes, ou jusqu'à ce que la chair du poisson soit juste ferme. Sortir du four et réserver.

Répartir les carottes et les pois entre les assiettes. Garnir d'un morceau de poisson. Arroser de 15 ml (1 c. à soupe) d'huile au cari.

SUGGESTION DE VIN
Beringer Napa Valley Sauvignon Blanc
Un vin équilibré offrant autant de parfums que de corpulence. Les saveurs de melon mûr, d'abricots séchés et de figues au miel s'harmonisent parfaitement avec ce plat de poisson au goût oriental.

Côtelettes de veau farcies à l'ail rôti et aux champignons porcini

À défaut de cuisson au barbecue, les côtelettes de veau pourront être grillées au four. Quant aux champignons, toute variété se mariera à cette recette.

POUR 6 PERSONNES

Veau

6 côtelettes de veau de 2,5 cm (1 po) d'épaisseur

6 gousses d'ail en tranches minces

30 ml (2 c. à soupe) de marjolaine hachée (ou d'origan)

15 ml (1 c. à soupe) de sauge hachée

3 feuilles de laurier

45 ml (3 c. à soupe) d'huile de maïs

Ail rôti

6 têtes d'ail (couper le tiers de la tête et jeter pour exposer les gousses)

15 ml (1 c. à soupe) d'huile d'olive extravierge

Champignons

15 ml (1 c. à soupe) de beurre non salé (doux)

15 ml (1 c. à soupe) d'huile d'olive extravierge

500 g (1 lb) de champignons porcini coupés en cubes de 2,5 cm (1 po)

2,5 ml (1/2 c. à thé) d'ail haché finement

15 ml (1 c. à soupe) de persil haché

Sel et poivre au goût

Garniture : 180 ml (3/4 de tasse) de chapelure assaisonnée

45 ml (3 c. à soupe) de fines herbes mélangées (ciboulette, sauge, marjolaine, persil)

Veau : Mettre tous les ingrédients de la préparation au veau dans un petit bol, couvrir d'une pellicule plastique et réfrigérer pendant au moins 4 à 6 heures (de préférence toute la nuit).

Ail rôti : Préchauffer le four à 200 °C (400 °F). Frotter d'huile l'extrémité coupée des têtes d'ail, les envelopper dans du papier d'aluminium et faire cuire au four pendant 45 minutes à 1 heure (ou jusqu'à ce qu'elles soient suffisamment molles pour être pressées). Sortir du four, laisser refroidir, puis presser les têtes d'ail avec la main comme si vous pressiez un citron. Réserver.

Champignons : Dans une poêle très chaude, mettre le beurre et l'huile. Lorsque le beurre est fondu, ajouter les champignons. Faire cuire pendant 5 à 7 minutes ou jusqu'à ce qu'ils soient ramollis. Creuser un puits au centre de la préparation et ajouter l'ail et le persil. Poursuivre la cuisson pendant 1 minute. Assaisonner et retirer du feu. Réserver.

Préchauffer le gril. Mélanger l'ail rôti avec les champignons. Ajouter la chapelure et les fines herbes. Retirer les côtelettes de veau de la marinade et pratiquer une incision de 5 à 8 cm (2 à 3 po) sur le côté pour former une poche (attention de ne pas fendre toute la côtelette). Diviser la farce entre les côtelettes et presser de chaque côté pour bien la répartir. Assaisonner les deux faces des côtelettes de sel et de poivre, puis les poser sur le gril. Faire cuire pendant 5 à 7 minutes par côté en prenant soin de ne pas trop les bouger. La farce doit être chaude au centre pour que le veau soit cuit correctement.

SUGGESTION DE VIN
Beringer Knights Valley Cabernet Sauvignon

Des arômes de chêne grillé joliment sucré chevauchent un bouquet de fruits foncés, de riche cacao et de cassis. De vives saveurs de cerises et de mûres ajoutent un délicieux fini et s'harmonisent parfaitement à cette alléchante recette de veau.

Filet de bœuf, sauce aux morilles et aux cerises aigres

La pièce de bœuf utilisée pour créer cette recette provient du Niman Ranch Marin situé à proximité de San Francisco où les bêtes sont nourries d'herbes naturelles et sans denrées chimiques. Tout en respectant l'écologie, cet élevage confère à la chair de l'animal une saveur des plus sucrées et sans arrière-goût. Bien sûr que son prix élevé en vaut la peine !

POUR 8 PERSONNES

Filet

1,5 kg (3 lb) de filet de bœuf, la pellicule argent enlevée, coupé en 8 portions de 180 g (6 oz) chacune (Conserver 125 ml / 1/2 tasse de rognures ou prélever un peu de chaque filet pour la sauce)

8 gousses d'ail, en tranches minces

Les feuilles de 4 brins de romarin de 20 cm (8 po)

4 feuilles de laurier, émiettées

60 ml (1/4 de tasse) d'huile de maïs

Champignons

15 ml (1 c. à soupe) de beurre non salé (doux)

15 ml (1 c. à soupe) d'huile d'olive extravierge

500 g (1 lb) de morilles, coupées en bouchées

4 ml (3/4 de c. à thé) d'ail haché finement

15 ml (1 c. à soupe) de persil frais haché

Sel et poivre au goût

Sauce aux cerises aigres

750 ml (3 tasses) de vin rouge

30 ml (2 c. à soupe) d'échalotes hachées finement

1,5 litre (6 tasses) de bouillon de veau

40 cerises aigres, séchées

Filet : Mettre le bœuf dans un bol ou un autre contenant, ajouter les autres ingrédients de la marinade et bien mélanger doucement. Envelopper d'une pellicule plastique et laisser mariner au réfrigérateur pendant au moins 4 à 6 heures (de préférence toute la nuit).

Champignons : Dans une sauteuse très chaude, mettre le beurre et l'huile d'olive. Une fois le beurre fondu, ajouter les champignons. Mélanger pour bien enrober et faire cuire pendant environ 5 minutes ou jusqu'à ce que les champignons aient ramolli. Creuser un puits au milieu de la préparation et ajouter l'ail et le persil. Assaisonner et réserver.

Sauce aux cerises aigres : Dans une petite casserole, mettre le vin et l'échalote. Faire entièrement réduire le vin à feu moyen. Retirer du feu et réserver.

Préchauffer le gril. Retirer le bœuf de la marinade et bien assaisonner les deux faces de sel et de poivre. Déposer avec précaution le bœuf sur le gril et faire cuire pendant 5 à 7 minutes de chaque côté.

Dans une poêle très chaude, verser un peu d'huile de maïs ou d'olive. Faire saisir les rognures de bœuf jusqu'à ce qu'elles soient dorées et croustillantes (pendant environ 5 minutes). Jeter l'huile de la casserole et remettre cette dernière sur le feu. Verser 375 ml (1 1/2 tasse) de bouillon dans la casserole et faire réduire jusqu'à ce qu'il devienne épais et sirupeux (pendant 2 à 3 minutes). Ajouter de nouveau 375 ml (1 1/2 tasse) de bouillon et recommencer l'opération. Finalement, ajouter le reste du bouillon et le vin réduit aux échalotes. Laisser réduire jusqu'à la consistance désirée, puis filtrer dans une autre casserole. Ajouter les cerises et assaisonner avec un peu de sel et un trait de jus de citron. Ramener à ébullition et servir immédiatement.

Dresser le bœuf au milieu des assiettes, couvrir de champignons chauds et napper de sauce aux cerises. Garnir avec un autre légume de saison, si désiré.

> **SUGGESTION DE VIN**
> **Beringer North Coast Zinfandel**
> Cet élégant vin aux saveurs de cerises noires et de mûres agrémentées de subtiles notes finales de vanille, de muscade et de cannelle sera en parfaite harmonie avec ce filet de bœuf et sa sauce aux cerises.

Pommes caramélisées et brie en coupe phyllo

D'influence française, cet entremets demande un peu de patience pour le réaliser mais en suivant la recette étape par étape, vous verrez qu'il n'a rien de compliqué. Le résultat vous vaudra des louanges.

POUR 6 PERSONNES

Pommes caramélisées

125 ml (1/2 tasse) de beurre non salé (doux)

250 ml (1 tasse) de sucre

6 pommes Fuji (ou toute autre pomme de cuisson) pelées, évidées et coupées en dés de 5 mm (1/4 de po)

5 ml (1 c. à thé) de piment de la Jamaïque moulu

1 ml (1/4 de c. à thé) de cannelle moulue

1 pincée de sel

Coupes phyllo

4 feuilles de pâte phyllo de 5 x 40 cm (2 x 16 po)

90 g (6 c. à soupe) de beurre fondu

60 ml (1/4 de tasse) de sucre glace tamisé

60 g (2 oz) d'amandes ou de noisettes grillées, finement moulues

6 moules en couronne beurrés de 7,5 cm (3 po) de diamètre (ou de la forme désirée)

280 g (9 oz) de brie coupé en 6 portions de 45 g (1 1/2 oz) chacune

Pommes caramélisées : Faire chauffer le beurre et le sucre dans une grande sauteuse jusqu'à ce que le mélange soit doré (en remuant de temps à autre, pendant 7 à 10 minutes). Ajouter les pommes en dés et les épices. Mélanger pour bien répartir les ingrédients et faire cuire à feu vif jusqu'à ce que les pommes aient ramolli (pendant environ 5 minutes). Retirer du feu et réserver.

Coupes phyllo : Préchauffer le four à 180 °C (350 °F). Étaler une feuille de pâte phyllo sur un comptoir propre et sec. La badigeonner entièrement d'une mince couche de beurre fondu. Saupoudrer légèrement toute la surface de sucre, puis d'une mince couche de noix moulues. Poser une autre feuille de pâte phyllo dessus et répéter l'opération avec les 2 autres feuilles de pâte phyllo. Couper chaque paire de pâtes phyllo pour obtenir 6 carrés. Poser un carré

sur un autre carré de manière à obtenir 8 pointes. Placer avec précaution un morceau de pâte phyllo ainsi assemblée dans chaque moule (en pressant les bords vers le fond avec les doigts). Mettre dans une petite casserole et faire cuire au four pendant 10 minutes. Faire pivoter la casserole et poursuivre la cuisson pendant encore 10 minutes ou jusqu'à ce que la pâte phyllo soit dorée et bien cuite. Réserver.

Déposer 45 g (1 1/2 oz) de brie dans chaque coupe de pâte phyllo. Faire réchauffer au four pendant 5 minutes (ou jusqu'à ce que le fromage commence à fondre). Faire réchauffer les pommes sur la cuisinière. Sortir les coupes de pâte phyllo du four et les dresser au centre de chaque assiette. Couvrir le brie avec des pommes chaudes et servir immédiatement. Garnir de noix rôties et d'un peu de caramel des pommes, si désiré.

LA POMME FUJI

Originaire du Japon, la pomme Fuji, qui s'apparente à la Délicieuse, est maintenant cultivée en Amérique. Très sucrée, juteuse et croustillante, elle se consomme crue ou cuite. À défaut d'en trouver, la remplacer par une pomme aux caractéristiques similaires.

SUGGESTION DE VIN
Beringer Nightingale Botrytised Napa Valley

Ce vin a développé des saveurs de pêche, d'abricot, de miel, de gingembre et de noix grillées qui comblent le palais. Une acidité bien équilibrée et de délicieuses saveurs de fruits riches et rondes en bouche font que l'on ne se lasse jamais de ce vin.

La véritable saga de Louis Michael Martini remonte à 1933, lorsque cet immigrant italien, originaire de la région de Gênes, fonde, à la fin de la prohibition américaine, la *winery* qui porte encore aujourd'hui son nom.

Grâce à sa vision, cet œnologue inventif a été le premier à produire en grande quantité des vins millésimés et de cépage, à explorer toute la profondeur et la complexité du cabernet sauvignon et à élaborer du merlot en Californie.

Surnommé « The Grand Old Man » de la viticulture californienne, il est le cofondateur de la Napa Valley Co-Op Winery qui a contribué à consolider la réputation de la Californie en tant que producteur de vins de qualité.

En 1954, son fils Louis P. lui succède à la tête de la *winery* familiale, qui est aujourd'hui dirigée par son petit-fils Michael. La sœur de ce dernier, Carolyn, veille à l'administration de l'entreprise; elle se souvient que son grand-père percevait la viniculture comme un art qui prend naissance dans le vignoble. Lorsqu'il l'emmenait avec lui dans les collines de la propriété, il lui disait que « les vignes préfèrent grandir dans de jolis endroits ». Aujourd'hui, la splendeur de ces dernières lui donne raison!

Carolyn Martini veille également au patrimoine des recettes familiales, toutes originaires d'Italie, et qui ont trouvé leur place au cœur de la cuisine californienne moderne.

L. M. Martini
une *winery* pionnière

les créations italiennes de
Bruce Riezenman

Pour régaler ses invités de marque, Carolyn fait appel au chef Bruce Riezenman qui, en plus de diriger son service de traiteur établi dans le comté de Sonoma, œuvre en tant que chef consultant auprès de plusieurs *wineries* locales (voir p. 47), dont Louis M. Martini. « La *winery* Louis M. Martini symbolise l'influence de l'immigration italienne au tournant du XXe siècle » affirme Bruce Riezenman. « Ces viticulteurs, véritables pionniers, ont popularisé la cuisine italienne et également un art de vivre où le vin doit toujours être un agréable compagnon à table. »

En créant des recettes inspirées de la cuisine italienne classique, Riezenman garde à l'esprit ce mariage indissociable entre les plats qu'il concocte et une sélection judicieuse des vins. Doté d'un sens des saveurs très développé, il prend plaisir à créer des plats à partir d'ingrédients locaux frais, dont les arômes et la saveur nous transportent directement en Italie. Ainsi, en respectant la simplicité et la diversité de cette cuisine méditerranéenne, il a choisi de présenter un menu dont les recettes relèvent de la pure tradition italienne.

PHOTOGRAPHIE JANINE SAINE

Aubergines farcies au crabe

*Une recette très rapide
qui nous amène à apprêter
différemment l'aubergine.
On peut remplacer le crabe par
du homard ou des crevettes.*

POUR 6 PERSONNES

Aïoli au citron

1 jaune d'œuf

15 ml (1 c. à soupe) de citron

Zeste de 1/2 citron

1 ml (1/4 de c. à thé) de moutarde de Dijon

125 ml (1/2 tasse) d'huile d'olive extravierge

3 ml (1/2 cuil. à thé) de ciboulette hachée

Sel et poivre blanc au goût

Aubergines

2 aubergines moyennes

Sel, au goût

Poivre blanc, au goût

Huile d'olive

Farce

1/2 botte de ciboules, émincées

1 œuf

3 jaunes d'œufs

500 g (1 lb) de chair de crabe

125 ml (1/2 tasse) d'aïoli au citron (voir ci-dessus)

Jus de citron, au goût

Poivre de Cayenne, au goût

15 ml (1 c. à soupe) de moutarde de Dijon

1/2 poivron rouge épépiné, haché finement

125 ml (1/2 tasse) de chapelure

125 g (1/4 de lb) de fromage jack vieilli, râpé, ou
   de parmesan

Garniture : 1 citron, coupé en deux

Aïoli au citron : Dans un bol, fouetter ensemble le jaune d'œuf, le jus et le zeste de citron et la moutarde.

Au fouet, incorporer lentement l'huile d'olive en un mince filet, jusqu'à ce que le mélange épaississe et ait la consistance de la mayonnaise. Ajouter la ciboulette hachée et assaisonner au goût avec du sel et du poivre blanc.

Couper l'aubergine dans le sens de la largeur en tranches de 2,5 à 3 cm (1 à 1 1/4 de po) d'épaisseur. Assaisonner de sel et de poivre blanc. Faire chauffer une petite quantité d'huile d'olive dans une sauteuse et y faire saisir les tranches d'aubergine des deux côtés, à feu vif. Retirer de la sauteuse, déposer sur du papier absorbant pour éliminer le surplus d'eau ou d'huile. Évider le centre en laissant 5 mm (1/4 de po) de chair au fond et, tout autour, une bordure de 5 mm à 1 cm (1/4 à 1/2 po) de large.

Mélanger délicatement les ingrédients de la farce, mais seulement la moitié du fromage et de la chapelure, en faisant en sorte que la chair de crabe demeure en morceaux. Remplir le centre de l'aubergine de ce mélange.

Couvrir avec le reste de fromage et de chapelure mélangés. Faire cuire au four à 190 °C (375 °F) jusqu'à ce que l'aubergine soit cuite et qu'elle commence à brunir. Arroser de jus de citron frais et servir immédiatement.

Cœurs de laitue romaine au gorgonzola

Simple et savoureuse, cette jolie salade quatre saisons mérite qu'on utilise des ingrédients de première qualité.

POUR 6 PERSONNES

Vinaigrette au vin rouge

1 petite échalote en dés très fins

60 ml (1/4 de tasse) de vinaigre de vin rouge

5 ml (1 c. à thé) de moutarde de Dijon

180 ml (3/4 de tasse) d'huile d'olive extravierge

Sel et poivre, au goût

3 cœurs de laitue romaine

250 g (1/2 lb) de gorgonzola, émietté grossièrement

2 ciboules, hachées

Dans un bol, mélanger les trois premiers ingrédients. Ajouter l'huile d'olive lentement tout en mélangeant pour émulsionner la vinaigrette. Assaisonner de sel et de poivre au goût.

Parer les cœurs de laitue romaine et conserver de belles feuilles longues. Mélanger avec la vinaigrette pour les en enrober légèrement. Garnir de gorgonzola émietté et de ciboules.

LE GORGONZOLA

Créé dans le village de Gorgonzola (région milanaise) au XIe siècle, ce fromage persillé bleu-vert est réputé comme l'un des meilleurs du monde. Plusieurs légendes existent autour de ce fromage crémeux qui, autrefois, était vieilli dans les caves.

> **SUGGESTION DE VIN**
> **Frei Brothers Reserve Chardonnay**
> Ce vin possède un caractère fruité avec d'intenses arômes et saveurs qui reflètent la terre et le climat d'origine des raisins. Ce grand Chardonnay, intense et doux en bouche, affiche une variété de saveurs complexe de poire, de pêche et de pomme équilibrées par un goût subtil de chêne.

Lasagne aux légumes

À cette lasagne végétarienne, on peut ajouter des champignons et des épinards. La lasagne se congèle facilement et elle est toujours plus savoureuse lorsque servie le lendemain.

POUR 6 PERSONNES

Béchamel

90 ml (1/3 de tasse) de beurre
125 ml (1/2 tasse) de farine
1 litre (4 tasses) de lait
5 ml (1 c. à thé) de sel de mer
1 pincée de poivre blanc
1 pincée de muscade

Garniture

2 courgettes vertes ou jaunes
1 aubergine moyenne
1 oignon rouge moyen
2 poivrons rouges
Herbes de Provence, au goût
Huile pour grande friture
Sel et poivre
250 ml (1 tasse) de sauce tomate
12 lasagnes fraîches*
250 ml (1 tasse) de mozzarella râpée
125 ml (1/2 tasse) de parmesan râpé

* Il n'est pas nécessaire de faire cuire les pâtes fraîches avant d'assembler la lasagne. Cependant, si l'on utilise des pâtes commerciales, suivre les instructions inscrites sur l'emballage.

Béchamel : Dans une casserole, faire fondre le beurre et y ajouter la farine. Faire cuire pendant 7 à 10 minutes. Ajouter le lait et remuer sans cesse jusqu'à l'obtention d'une sauce épaisse et lisse. Laisser mijoter au moins 30 minutes. Assaisonner avec le sel, le poivre blanc et la muscade, au goût. Réserver.

Garniture : Trancher tous les légumes dans le sens de la longueur. Les faire griller ou frire séparément. Une fois cuits, ajouter des herbes de Provence, du sel et du poivre, au goût.

Pour assembler la lasagne : Huiler un moule de 22 x 30 cm (9 x 12 po). Y étaler une cuillerée à servir de sauce tomate. Couvrir d'une couche de pâtes. Superposer ensuite une cuillerée à servir de sauce tomate, une couche de courgettes, une mince couche de béchamel et couvrir de mozzarella râpée. Recommencer avec une couche de pâtes, une cuillerée à servir de sauce tomate, une couche d'aubergine, une mince couche de béchamel et couvrir de mozzarella râpée. Recommencer de nouveau avec une couche de pâtes, une cuillerée à servir de sauce tomate, une couche d'oignons et de poivrons, une mince couche de béchamel et couvrir de mozzarella râpée. Couvrir d'une dernière couche de pâtes, garnir de béchamel et de parmesan râpé. Faire cuire au four à 150 °C (300 °F) pendant 35 minutes.

Poulet dans une sauce au cabernet

Un plat réconfortant qui sera très apprécié pendant la saison hivernale. Peut-être semble-t-il compliqué dans ses préparatifs, mais en réalité, il ne l'est pas.

POUR 6 PERSONNES

250 g (1/2 lb) de pancetta
2 poulets de 1,5 kg (3 lb) chacun
Sel et poivre, au goût
15 ml (1 c. à soupe) d'huile extravierge
5 ml (1 c. à thé) de beurre
1 oignon rouge moyen, en dés
3 branches de céleri, en dés
3 carottes, en dés
4 feuilles de laurier
5 ml (1 c. à thé) de thym
5 ml (1 c. à thé) de romarin
2,5 ml (1/2 c. à thé) d'origan
500 g (1 lb) de champignons, en quartiers
500 ml (2 tasses) de cabernet sauvignon et un peu plus pour la sauce
500 ml (2 tasses) de bouillon de bœuf
500 ml (2 tasses) de bouillon de poulet
15 ml (1 c. à soupe) de fécule de maïs
Sel et poivre

Oignons perlés

33 petits oignons
10 ml (2 c. à thé) de sucre
60 ml (1/4 de tasse) d'eau

Pancetta : Demander à votre boucher de la détailler en tranches très fines.

Déposer sur une plaque de cuisson et faire cuire au four à 180 ° C (350 °F) pendant 10 à 15 minutes ou jusqu'à ce qu'elle soit dorée et croustillante. Briser en gros morceaux et conserver au chaud jusqu'au moment de servir.

Poulet : Couper le poulet en 6 morceaux (2 poitrines avec les ailes, 2 cuisses et 2 pilons). Assaisonner les morceaux de poulet de sel et de poivre. Dans une grande casserole peu profonde à fond épais, faire saisir le poulet dans l'huile et le beurre, le côté peau d'abord. Retirer le poulet de la casserole et ajouter l'oignon, le céleri, les carottes et les fines herbes. Couvrir et faire cuire jusqu'à ce que les oignons soient transparents. Ajouter les champignons et faire cuire à feu vif jusqu'à ce qu'ils aient rendu leur eau et que celle-ci se soit évaporée. Mouiller avec le cabernet et laisser réduire de moitié. Ajouter les bouillons de bœuf et de poulet et amener à ébullition. Assaisonner de sel et de poivre. Ajouter les morceaux de poulet et amener à faible ébullition. Poursuivre la cuisson au four à 170 °C (325 °F), à couvert, pendant environ 45 minutes, jusqu'à ce que le poulet soit tendre.

Oignons perlés : Peler les petits oignons et les mettre dans une casserole avec le sucre et l'eau, et faire bouillir doucement jusqu'à ce qu'ils soient tendres. Laisser le liquide s'évaporer, puis poursuivre la cuisson à feu moyen jusqu'à ce que le sucre caramélise et que les oignons dorent. Réserver.

Retirer le poulet du four et découvrir. Laisser refroidir pendant environ 25 minutes. Mettre le poulet dans un plat en verre couvert et dans le four éteint. Dégraisser le liquide de cuisson et le faire réduire de moitié en l'assaisonnant au goût. Mélanger un peu de vin rouge avec la fécule de maïs et en incorporer la quantité nécessaire au liquide de cuisson qui mijote pour l'épaissir. Laisser mijoter pendant 5 minutes. Verser sur le poulet, garnir de pancetta et d'oignons perlés. Servir et déguster !

LA PANCETTA

La pancetta est une sorte de lard italien fait à partir de porc salé et séché dans du sel et des épices. Savoureuse et légèrement salée, la pancetta a la forme d'un rouleau semblable à une saucisse. On en trouve facilement dans les boutiques d'alimentation italiennes et elle peut être remplacée par du lard faible en gras et non fumé.

> **SUGGESTION DE VIN**
> **Louis M. Martini Sonoma Valley Monte Rosso Cabernet Sauvignon**
> Des arômes de sauge, de mûres, de cassis, de grenade, d'anis sucré, de poivre vert, de cacao et de cèdre se profilent dans ce vin. Corpulent en bouche avec une riche texture charnue et des saveurs de clous de girofle, de mûres, de chocolat et de caramel au beurre suivies d'une belle finale veloutée.

Osso buco

Signifiant littéralement
« os trou », l'osso buco fait
référence au jarret. Le secret
de ce délicieux plat réside dans
la taille des légumes et dans
la façon dont le veau est
manipulé. Si vous prenez le
temps de couper les oignons,
le céleri et les carottes en
petits dés de même taille, vous
constaterez que ça en vaut la
peine ! Manipulez le veau avec
soin pour que la chair ne se
détache pas de l'os. L'osso
buco devrait être très tendre.
Il devrait se détacher de l'os
à la fourchette.

POUR 6 PERSONNES

Gremolata

2 gousses d'ail, hachées finement
125 ml (1/2 tasse) de persil plat frais haché
Zeste râpé de 2 citrons

6 tranches de jarret de veau (rouelles) ou d'agneau de 3 cm (1 1/2 po) d'épaisseur
7 ml (1 1/2 c. à thé) de sel
2,5 ml (1/2 c. à thé) de poivre
125 ml (1/2 tasse) de farine
90 ml (6 c. à soupe) d'huile d'olive
2 carottes, en petits dés
1 oignon moyen, en petits dés
2 branches de céleri, en petits dés
4 gousses d'ail, broyées
1 feuille de laurier de grosseur moyenne
1 brin de romarin frais
250 ml (1 tasse) de vin blanc sec
250 ml (1 tasse) de bouillon de bœuf
400 g (14 oz) de tomates italiennes en conserve, en dés

Gremolata : Mélanger l'ail, le persil et le zeste de citron. Parsemer sur les rouelles de veau au moment de servir.

Demander au boucher la coupe de veau pour l'osso buco.

Assaisonner les rouelles de veau de sel et de poivre. Les enrober de farine et les secouer pour en éliminer le surplus. Faire chauffer 60 ml (4 c. à soupe) d'huile d'olive dans une poêle en fonte, ou dans une casserole à fond épais, suffisamment grande pour contenir le veau. Faire brunir le veau sur toutes ses faces pendant 8 à 10 minutes (si la casserole n'est pas assez grande, faites-le revenir en plusieurs fois). Retirer le veau de la casserole. Ajouter les 30 ml (2 c. à soupe) d'huile d'olive qui restent. Y faire cuire les carottes, l'oignon, le céleri, l'ail, la feuille de laurier et le romarin à couvert, à feu moyen, pendant 5 minutes. Ajouter le vin, le bouillon et les tomates. Amener à ébullition, baisser le feu à doux, et racler le fond de la casserole pour en détacher le graillon et l'incorporer à la sauce. Si la casserole peut contenir tout le veau, y déposer les rouelles de veau en une seule couche, couvrir et laisser mijoter pendant 1 heure ou jusqu'à ce que la viande soit très tendre.

Si la casserole est trop petite, déposer les rouelles de veau en une couche dans un plat de cuisson dont les côtés sont plus hauts que les tranches de veau. Couvrir avec le bouillon et les légumes bouillants et faire cuire au four à 170 °C (325 °F) pendant environ 1 heure.

Transférer la viande dans un plat de service et la conserver au chaud. Dégraisser le bouillon et les légumes. Faire bouillir sans couvrir pour réduire le liquide à environ 750 ml (3 tasses). Verser la sauce sur le veau et parsemer de gremolata.

> **SUGGESTION DE VIN**
> **Louis M. Martini Sonoma Valley**
> **Monte Rosso Cabernet Sauvignon**
> Des arômes de sauge, de mûres, de cassis, de grenade, d'anis sucré, de poivre vert, de cacao et de cèdre se profilent dans ce vin. Corpulent en bouche avec une riche texture charnue et des saveurs de clous de girofle, de mûres, de chocolat et de caramel au beurre suivies d'une belle finale veloutée.

Panna cotta

Panna cotta, *qui signifie « crème cuite », est une spécialité du Piémont. Riche, onctueuse et facile à préparer, cette crème est très appréciée à la fin d'un repas.*

POUR 9 PERSONNES

15 ml (1 bonne c. à soupe) de gélatine sans saveur
60 ml (1/4 de tasse) de lait
250 ml (1 tasse) de sucre glace
2 gousses de vanille, fendues dans le sens de la longueur
2,5 ml (1/2 c. à thé) de sel de mer
750 ml (3 tasses) de crème épaisse
375 ml (1 1/2 tasse) de crème sure (aigre)

Dans une tasse, saupoudrer la gélatine sur le lait et la laisser ramollir.

Dans une grande casserole, fouetter ensemble le sucre, les gousses de vanille, le sel et les 2/3 de la crème épaisse. À feu moyen-doux, amener à un premier bouillon en remuant de temps à autre. Retirer la casserole du feu et racler les graines des gousses de vanille (jeter les gousses). Ajouter le mélange à la gélatine, en remuant jusqu'à ce qu'il soit dissous. Verser la préparation dans un grand bol en métal et faire refroidir à la température ambiante en remuant de temps à autre, pendant environ 1 heure.

Dans un petit bol, fouetter la crème sure jusqu'à ce qu'elle soit lisse. Dans un bol refroidi, avec les fouets du mélangeur refroidis, battre le reste de la crème épaisse en pics fermes. Ajouter délicatement la crème sure. Plier délicatement cette préparation dans le mélange à la gélatine refroidi et verser dans un moule ou dans un bol. Faire refroidir la panna cotta au réfrigérateur, à couvert, pendant au moins 4 heures (jusqu'à ce qu'elle soit ferme) et jusqu'à 2 jours.

Pour démouler, décoller les bords et plonger le moule ou le bol dans un plat légèrement plus grand à moitié rempli d'eau chaude. Renverser le moule ou le bol dans une assiette creuse.

SUGGESTION DE VIN
Ernest & Julio Gallo Two Rock Vineyard, Chardonnay Sonoma Coast
Un Chardonnay très délicat et en couches, aux acides bien intégrés avec des tanins délicatement équilibrés qui offrent une netteté satisfaisante qui se profile en un doux fini.

Aux abords de la Central Valley, à quelque 60 kilomètres à l'est de la Napa Valley, on sent non seulement que le paysage change d'humeur, mais que l'agriculture est bien ancrée dans les mœurs quotidiennes des multiples *farmers* qui y œuvrent. Nichée près des Dunnigan Hills, loin derrière la chaîne montagneuse Coastal Range, la propriété familiale que Lane et John Giguiere ainsi que Karl, frère de ce dernier, ont achetée en 1970 s'est acquis au cours de la dernière décennie une réputation internationale sous la bannière de R. H. Phillips. Personne ne se doutait qu'en privilégiant la culture du raisin au détriment de celle du blé et même de l'élevage de mouton dont le marché régional ne s'avérait plus rentable, la production de leur domaine allait connaître un tel succès sur le plan mondial.

Dans cette région chaude et sèche où abondent plutôt des plantations de tomates et de maïs, cette *winery* est devenue au cours des dernières décennies un chef de file vinicole. «Notre originalité vient du fait d'avoir développé une viticulture artisanale dans une région très particulière. Nous nous intéressons à des cépages qui ne sont pas nécessairement universels, tels que le viognier (France) et le tempranillo (Espagne), et nous tentons d'obtenir des arômes typiquement californiens», affirme Barry Bergman, *winemaker* du domaine.

Chez R. H. Phillips, tout en expérimentant et analysant cépages et terroirs, on demeure très sensible à l'environnement. Depuis quelques années, l'utilisation de pesticides et d'insecticides fait place de plus en plus aux herbes sauvages et aux insectes prédateurs. On a compris que la mise en place d'un contrôle naturel comme le soleil et le vent, prévaudrait sur l'utilisation d'agents chimiques.

Depuis qu'ils vendent leur vin à travers le monde, les Giguiere misent avant tout sur la qualité ultime de leurs produits, tout en laissant libre cours à l'innovation. Même s'ils ont encore moult rêves à réaliser, comme la découverte d'autres terroirs, ils aiment avant tout privilégier et encourager les nombreux artisans agricoles qui contribuent au charme et à l'agrément de cette vallée.

des viticulteurs visionnaires
R. H. Phillips

l'artiste de Dunnigan Hills
Rachael Levine

PHOTOGRAPHIE: JANINE SAINE

De prime abord, avec son œil narquois et ses envolées lyriques, elle pourrait être associée à un groupe de rock. Et pourtant aux antipodes de ce métier, Rachael Levine, d'origine canadienne, réussit à créer des mises en scène culinaires hors pair. Autodidacte, elle a appris ce dur métier de chef en travaillant dans une brasserie comme plongeur, en fouillant dans les livres de cuisine et surtout, en se souvenant des leçons que sa grand-mère et sa mère lui ont prodiguées dans sa tendre jeunesse.

Dans la jeune trentaine, Rachael ne s'arrête pas à ses découvertes gastronomiques, mais, bien au contraire, elle éprouve un grand besoin de liberté pour réaliser ses créations culinaires. Ce qui prime pour elle avant tout, c'est le goût authentique et sain des aliments. Ainsi encourage-t-elle les produits biologiques de tous ces fermiers qui œuvrent autour de Dunnigan Hills, région au nord de Central Valley où abondent fruits et légumes, tels tomates, maïs, amande, melon, également miel et huile d'olive, et dont le climat pourrait se comparer à certaines provinces méditerranéennes où l'on pratique le même genre de culture.

Son but ultime est de trouver les meilleures harmonies entre les mets et les vins. Pour les réaliser, elle travaille de connivence avec Barry Bergman, *winemaker* chez R. H. Phillips, afin de trouver parmi tous ces produits de la nature l'union sublime qui conclura un repas festif. Loin des projecteurs, elle rêve quand même du jour où elle pourra inaugurer un super club vibrant de la musique latino-américaine pour accompagner ses chefs-d'œuvre culinaires, qu'elle sait concocter avec cœur et générosité au gré des saisons.

Vichyssoise aux pommes de terre lavande

Créée par Rachael Levine pour célébrer le printemps 2003, cette recette de potage froid a été conçue avec une pomme de terre bleue de teinte lavande, d'où cette couleur remarquable.

POUR 4 PERSONNES

45 ml (3 c. à soupe) de beurre non salé (doux)

625 ml (2 1/2 tasses) d'oignons jaunes, en dés (environ 2 oignons moyens)

3 ou 4 pommes de terre lavande, pelées et en cubes pour une quantité d'environ 750 ml (3 tasses)

825 ml (3 1/2 tasses) de bouillon de légumes ou d'eau

30 ml (2 c. à soupe) de jus de citron frais

Sel de mer et poivre noir, fraîchement moulu

1 pincée de muscade

1 tasse de crème légère (fleurette) épaisse

60 ml (1/4 de tasse) de crème fraîche

Garniture : 8 à 12 feuilles de ciboulette fraîche et 12 à 16 fleurs de ciboulette à l'ail

Dans une grande casserole, faire fondre le beurre et y faire revenir les oignons à feu moyen jusqu'à ce qu'ils soient ramollis. Ajouter les pommes de terre et le bouillon de légumes. Couvrir et laisser mijoter jusqu'à ce que les pommes de terre soient tendres, pendant 15 à 20 minutes.

Incorporer le jus de citron et les assaisonnements, puis retirer la préparation du feu. Réduire en purée au robot culinaire ou au mélangeur. Verser dans un contenant en plastique ou en verre ; incorporer la crème épaisse. Goûter, rectifier l'assaisonnement au besoin, couvrir et faire refroidir au réfrigérateur pendant environ 2 heures.

Répartir la soupe entre 4 assiettes creuses de couleur pâle ; garnir de rubans ou de cuillerées de crème fraîche, de 2 ou 3 feuilles de ciboulette et de 3 ou 4 fleurs de ciboulette à l'ail. Servir bien froid.

PHOTOGRAPHIE : JANINE SAINE

LA POMME DE TERRE BLEUE

On raconte que la pomme de terre bleue est originaire du Pérou. La couleur de sa peau peut varier de lavande à violet foncé, et la chair peut être beige jusqu'à violacée et striée. Grâce à sa texture dense, elle est excellente lorsque bouillie.

Il existe plus de 300 variétés de pommes de terre sur le marché. Généralement, on peut se procurer la pomme de terre bleue dans les épiceries fines.

SUGGESTION DE VIN
R. H. Phillips Toasted Head Chardonnay
Blanc d'une grande fraîcheur d'où émane un goût de noisette. Jolie structure et élégance qui s'harmonise avec cette soupe riche et crémeuse.

Salade de légumes verts au melon et aux amandes grillées

Au choix, on peut mélanger toutes sortes de salades, telles la roquette, la frisée, la scarole, etc. À défaut de vinaigre de champagne, se procurer un vinaigre de noix. Éviter le vinaigre de vin rouge. Cette salade accompagne joliment l'omelette aux feuilles de betterave et au chèvre (voir la page suivante).

POUR 4 À 6 PERSONNES

1,5 litre (6 tasses) de légumes verts en feuilles tels que chou gras, moutarde et mâche

1/2 melon mûr, de préférence de la variété cantaloup ou charentais

180 ml (3/4 de tasse) d'huile d'olive extravierge ou d'huile de pépin de raisin

60 ml (1/4 de tasse) de vinaigre de champagne

30 ml (2 c. à soupe) de cerfeuil frais haché finement

Sel de mer et poivre noir concassé, au goût

180 ml (3/4 de tasse) d'amandes, rôties et légèrement hachées

Bien rincer les légumes verts en feuilles en ôtant toute feuille abîmée ou décolorée et les tiges épaisses, puis assécher délicatement avec du papier absorbant ou un linge à vaisselle propre qui ne peluche pas. Mettre la verdure dans un bol, couvrir et réserver.

Couper le melon en quartiers, puis chaque quartier en 4 ou 6 tranches. Mettre les tranches de melon dans le bol avec les salades.

Dans un petit bol, fouetter ensemble vivement pendant 30 à 40 secondes l'huile d'olive, le vinaigre, le cerfeuil, le sel et le poivre.

Verser la vinaigrette sur les salades et le melon, ajouter les amandes rôties et mélanger 2 ou 3 fois pour enrober uniformément la salade de vinaigrette. Répartir entre 4 ou 6 assiettes, et servir.

SUGGESTION DE VIN
R. H. Phillips Sauvignon Blanc
Vin rond et gras, élevé en inox.
Très frais et très aromatique avec cette salade de légumes et de fruits.

Omelette aux feuilles
de betterave et au chèvre

Les feuilles de betterave sont offertes sur les étals de marché en saison seulement. On peut les remplacer par des feuilles d'épinards, de pissenlit ou de roquette.

12 gros œufs

125 ml (1/2 tasse) de crème (facultatif)

Sel de mer et poivre noir concassé

45 ml (3 c. à soupe) de beurre non salé (doux) ou d'huile d'olive extravierge (ou un mélange des deux)

60 ml (1/4 de tasse) d'échalotes hachées finement

5 ml (1 c. à thé) de graines de moutarde jaunes ou brunes

1 litre (4 tasses) de feuilles de betterave, rincées et hachées grossièrement

125 ml (1/2 tasse) de chèvre semi-dur, râpé

Garniture : brins de ciboulette fraîche et fraises ou tranches de melon

Dans un grand bol, fouetter ensemble les œufs, la crème et les assaisonnements ; réserver. Réfrigérer si la préparation n'est pas utilisée à l'intérieur d'une heure.

Faire chauffer le beurre ou l'huile d'olive à feu moyen dans une grande poêle antiadhésive. Y faire sauter les échalotes jusqu'à ce qu'elles soient ramollies. Ajouter les graines de moutarde et faire cuire jusqu'à ce qu'elles commencent à éclater. Ajouter les feuilles de betterave et poursuivre la cuisson jusqu'à ce qu'elles flétrissent. Verser les œufs sur les feuilles de betterave. Faire cuire à feu moyen pendant 1 à 2 minutes, en brisant les œufs à plusieurs endroits pour assurer une cuisson uniforme. Baisser le feu à doux, couvrir et poursuivre la cuisson pendant 4 à 5 minutes ou jusqu'à ce que les œufs soient pris. Parsemer la moitié de l'omelette de chèvre émietté. Avec une spatule en caoutchouc, soulever l'autre moitié de l'omelette et la replier délicatement par-dessus la moitié garnie de fromage. Retirer la poêle du feu et transférer l'omelette dans un plat de service. Détailler en 4 ou 6 portions. Servir garnie de quelques brins de ciboulette et accompagner d'une salade.

SUGGESTION DE VIN
R. H. Phillips Sauvignon Blanc
Vin rond et gras, élevé en cuve inox et dont la vivacité et la fraîcheur conviennent parfaitement à cette omelette de légumes et de chèvre.

POUR 4 À 6 PERSONNES

Esturgeon rôti avec purée de fèves des marais

Recherché avant tout pour sa chair viandeuse riche en phosphore et en fer, et surtout pour ses œufs qui constituent le caviar, l'esturgeon peut vivre jusqu'à 150 ans. Dommage qu'il soit en voie de disparition en Amérique. Ici, en Californie, on le pêche dans la rivière Sacramento où il se reproduit à la manière du saumon.

Dans cette recette, on a utilisé de l'esturgeon d'élevage qui provient d'une ferme d'Elverta, située près de la winery. On peut le remplacer par du flétan ou du loup de mer.

POUR 4 PERSONNES

Purée de fèves des marais

1 litre (4 tasses) d'eau froide

625 ml (2 1/2 tasses) de fèves des marais fraîches, écossées (les fèves des marais sèches peuvent remplacer les fraîches, cependant le temps de cuisson doit être rectifié en conséquence) ou de haricots de Lima.

250 ml (1 tasse) de courge jaune fraîche hachée

2 ou 3 gousses d'ail, hachées finement

60 ml (1/4 de tasse) de bouillon de poulet ou de légumes

60 ml (1/4 de tasse) d'huile d'olive extravierge

Sel de mer et poivre noir concassé, au goût

4 filets d'esturgeon, de flétan, de bar ou de loup de mer de 180 à 250 g (6 à 8 oz) chacun

250 ml (1 tasse) de chapelure de brioche

10 ml (2 c. à thé) de basilic frais haché finement

5 ml (1 c. à thé) de zeste de citron frais haché finement

Sel de mer et poivre noir fraîchement concassé

1 œuf, fouetté

30 à 45 ml (2 à 3 c. à soupe) d'huile d'olive pour la cuisson

Purée de fèves des marais : Mélanger les fèves des marais écossées et l'eau froide dans une casserole moyenne. Amener à ébullition et faire cuire jusqu'à ce que les fèves soient juste tendres, environ 8 minutes. Ajouter la courge jaune et poursuivre la cuisson pendant 3 à 4 minutes. Lorsque la courge est tendre, égoutter les fèves et la courge, et les remettre dans la casserole. Ajouter immédiatement l'ail, le bouillon et l'huile d'olive, et réduire en purée. Assaisonner au goût avec le sel de mer et le poivre fraîchement concassé. Réserver, à couvert, dans un four chaud jusqu'au moment de servir.

Rincer l'esturgeon à l'eau froide, l'assécher et le mettre dans une assiette. Dans une autre assiette, mélanger la chapelure avec le basilic, le zeste de citron, le sel et le poivre concassé. Badigeonner d'œuf chaque filet de poisson, puis l'enrober uniformément de chapelure.

Dans une poêle antiadhésive, faire chauffer l'huile d'olive à feu moyen. Déposer délicatement les quatre filets d'esturgeon, un par un, dans la poêle. Faire cuire de 3 à 4 minutes ou jusqu'à ce que la chapelure soit dorée. Retourner les filets d'esturgeon doucement pour les faire dorer sur l'autre face. Poursuivre la cuisson pendant 4 à 5 minutes ou jusqu'à ce que la chair soit juste ferme au toucher. Retirer de la poêle et servir rapidement sur une purée de fèves des marais. Verser un peu d'huile de cuisson autour et garnir de basilic frais.

LES FÈVES DES MARAIS

Originaires du Moyen-Orient, les fèves des marais sont appréciées depuis l'époque néolithique. Après avoir été cultivées en Europe, elles furent importées au Mexique par Christophe Colomb. De nos jours, elles font le délice des gourmets de Californie et de beaucoup d'autres régions en Amérique.

Farineuses, de saveur prononcée et riches en protéines, elles se consomment avec ou sans leur peau. En les plongeant dans l'eau bouillante quelques minutes ou en les trempant de 12 à 24 heures, elles perdent leur peau.

Lapin braisé aux carottes, avec salade aux pommes, aux truffes et betteraves

Le lapin n'est pas une viande très populaire en Californie mais, dans les campagnes, il demeure un plat très apprécié.

Riche en vitamines B, en calcium, en potassium et en phosphore, la chair du lapin est facile à digérer à cause de sa faible teneur en gras. Choisir un lapin de préférence frais, à chair luisante et légèrement rosée.

POUR 4 À 6 PERSONNES

6 à 8 carottes moyennes, lavées
2 jeunes poireaux
250 ml (1 tasse) de bouillon de poulet
125 ml (1/2 tasse) de vin blanc sec
1 lapin paré et coupé en 6 morceaux
Sel de mer et poivre noir concassé
60 ml (1/4 de tasse) d'huile d'olive
4 brins de thym citronné frais
1 ou 2 petites betteraves, pelées et en cubes
60 ml (1/4 de tasse) de rhubarbe fraîche hachée finement
1 pomme rouge ou verte, pelée et évidée
2 ou 3 gouttes d'huile aux truffes (ou d'huile d'olive)
5 ml (1 c. à thé) d'huile végétale
5 ml (1 c. à thé) de truffe noire, en copeaux
1 trait de citron

Préchauffer le four à 180 °C (350 °F).

Couper les carottes en deux dans le sens de la longueur. Trancher chaque moitié de carotte en 3 ou 4 morceaux égaux. Enlever les pointes et la base des poireaux, bien les rincer à l'eau froide, les assécher, puis les couper en deux dans le sens de la longueur. Couper chaque demi-poireau en 2 ou 3 morceaux égaux. Mélanger les carottes et les poireaux, et les étaler dans le fond d'une cocotte ou d'une casserole. Mouiller avec le bouillon de poulet et le vin blanc. Réserver.

Assaisonner légèrement le lapin de sel de mer et de poivre noir concassé. Faire chauffer l'huile d'olive dans une poêle de taille moyenne. Lorsqu'elle est chaude, ajouter quelques morceaux de lapin et les faire dorer sur toutes les faces. Transférer le lapin dans la casserole qui contient les légumes et le liquide de cuisson. Faire ainsi dorer tous les morceaux de lapin et les mettre dans la cocotte. Répartir le lapin uniformément.

Ajouter les brins de thym frais, couvrir hermétiquement et faire cuire au four, sur la grille du milieu, pendant 1 heure ou jusqu'à ce que le lapin se défasse facilement à la fourchette.

Entre-temps, sur la cuisinière, amener 250 ml (1 tasse) d'eau à ébullition, ajouter les betteraves et les faire blanchir pendant 30 secondes. Égoutter les betteraves et les rincer à l'eau froide pour arrêter le processus de cuisson. Mélanger la rhubarbe et la pomme et les ajouter aux betteraves. Verser quelques gouttes d'huile aux truffes et l'huile végétale sur le mélange à la pomme. Incorporer la truffe et un trait de citron au mélange. Assaisonner au goût avec du sel de mer et du poivre noir concassé.

Lorsque la cuisson du lapin est terminée, le sortir du four. Laisser reposer quelques minutes avant de servir. Dresser un morceau de lapin dans chaque assiette avec quelques légumes et le liquide de cuisson. Garnir avec un peu de salade à la pomme, à la truffe et aux betteraves.

LA TRUFFE

La truffe est un champignon souterrain qui pousse plutôt en Europe qu'en Amérique. Fraîche, elle dégage des arômes pendant plusieurs jours. En conserve, elle devient un champignon mort dont les parfums demeurent fragiles après l'ouverture du bocal.

Quant à l'huile de truffe, celle que l'on trouve dans le commerce est souvent aromatisée à la truffe et offerte dans les épiceries fines ou italiennes.

SUGGESTION DE VIN
R. H. Phillips EXP Viognier

Élaboré depuis 1989 chez R. H. Phillips, ce cépage blanc est de plus en plus prisé par les amateurs de vin. Jolies notes florales et fruitées pourvues de fraîcheur et de vivacité. Vin de plaisir et de finesse qui encensera cette recette de lapin.

Côtelettes d'agneau avec pesto à la roquette et aux amandes

D'un goût exquis, l'agneau utilisé dans cette recette provient d'un ranch de Dixon, une localité située tout près de la winery R. H. Phillips. Pour apprécier la finesse de cette viande, mieux vaut se la procurer fraîche et de préférence d'éleveurs locaux.

POUR 4 PERSONNES

10 ml (2 c. à thé) de graines de cumin rôties

2,5 ml (1/2 c. à thé) de graines de coriandre rôties

2,5 ml (1/2 c. à thé) de cari

1 ml (1/4 de c. à thé) de clous de girofle

Sel de mer et poivre noir concassé, au goût

8 côtelettes d'agneau de 90 g (3 oz) chacune (deux par personne)

Pesto à la roquette et aux amandes
DONNE 500 ML (2 TASSES)

1 paquet de roquette fraîche, sans les tiges

125 ml (1/4 de tasse) de feuilles de persil frais

4 gousses d'ail mariné

125 ml (1/2 tasse) d'amandes rôties

60 ml (1/4 de tasse) de parmesan râpé

180 à 300 ml (3/4 à 1 1/4 tasse) d'huile d'olive extravierge

Sel de mer et poivre noir concassé, au goût

Pesto à la roquette et aux amandes :
Réduire les ingrédients du pesto en purée au robot culinaire ou au mélangeur. Racler les parois du bol une ou deux fois pendant le mélange. Le pesto peut se préparer 1 jour à l'avance.

Dans un moulin à épices, moudre finement les graines de cumin et de coridandre rôties et le reste des assaisonnements.

Rincer les côtelettes d'agneau à l'eau froide et les assécher. Les frotter du mélange à épices. Laisser reposer au réfrigérateur pendant un minimum de 1 heure pour permettre aux saveurs de se mêler. Faire griller au four ou sur le gril pendant environ 3 minutes de chaque côté.

Pour servir, amener le pesto à la température de la pièce. Mettre 15 à 30 ml (1 à 2 c. à soupe) de pesto sur les côtelettes d'agneau chaudes ou le servir à part, dans un petit plat de service.

LA ROQUETTE

La roquette est un cresson de terre dont le goût est piquant. Au printemps, semez quelques graines dans votre potager et vous ne tarderez pas à être surpris de l'abondance de feuilles. Quel régal en salade avec une tomate, quelques copeaux de parmesan, du vinaigre balsamique et un peu d'huile d'olive !

SUGGESTION DE VIN
R. H. Phillips EXP Syrah
Sympathique rouge aux arômes de prune mûre, de réglisse et de chocolat. Ce vin doit se boire dans sa jeunesse afin de mieux jouir de son essence fruitée. De plus, la syrah s'avère excellente avec de l'agneau.

Torte au chocolat amer avec compote de fraises

La Central Valley regorge de fruits frais, surtout de fraises où l'on peut obtenir jusqu'à six récoltes par année. Souvent, les maraîchers vendent ces savoureux fruits dans des kiosques situés au bord de la route.

POUR 10 À 12 PERSONNES

Torte au chocolat

280 g (9 oz) de chocolat amer ou noir
180 ml (3/4 de tasse) de beurre non salé (doux)
6 gros œufs
250 ml (1 tasse) de sucre
60 ml (1/4 de tasse) de marmelade d'orange
60 ml (1/4 de tasse) de farine tout usage
1 ml (1/4 de c. à thé) de sel de mer
60 à 120 ml (1/4 à 1/2 tasse) de grains de cacao moulus ou de cacao en poudre non sucré

Compote aux fraises

1 panier de fraises mûres
180 ml (3/4 de tasse) de sirop de baies
2,5 ml (1/2 c. à thé) de piment de la Jamaïque
Zeste de 1 orange
5 ml (1 c. à thé) de feuilles de menthe fraîche, en julienne

Garniture : copeaux de chocolat ou crème fouettée (Chantilly) légèrement sucrée

Préchauffer le four à 180 °C (350 °F).

Couper le chocolat amer en petits morceaux égaux, le mettre dans un bol allant au micro-ondes avec le beurre, et faire fondre à moyen-vif pendant 1 minute. Mélanger la préparation au chocolat et au beurre, et poursuivre la cuisson au micro-ondes pendant 1 minute. Sortir du micro-ondes et mélanger vigoureusement jusqu'à ce que le chocolat soit entièrement fondu. Laisser refroidir.

Séparer les blancs d'œufs des jaunes. Fouetter les blancs, ajouter lentement du sucre et continuer à fouetter jusqu'à la formation de pics fermes. Dans un autre bol, mélanger les jaunes d'œufs avec le sucre restant. Fouetter jusqu'à ce que les jaunes d'œufs soient gonflés et aérés, d'une couleur jaune citron. Bien incorporer la marmelade d'orange, puis la préparation au chocolat refroidie et ensuite la farine et le sel. Verser le tiers des blancs d'œufs fouettés dans le chocolat et plier dans la pâte. Continuer ainsi jusqu'à ce que tous les blancs d'œufs aient bien été incorporés et que le blanc d'œuf ne soit plus visible. Verser la pâte dans un moule à charnière.

Faire cuire au four pendant 30 à 35 minutes ou jusqu'à ce qu'un cure-dents enfoncé au centre en ressorte propre. La torte tombera légèrement après sa sortie du four. Laisser refroidir pendant 10 à 15 minutes avant de décoller le bord du moule.

Entre-temps, préparer la compote de fraises. Rincer les fraises à l'eau froide et les assécher. Les équeuter, puis les couper en deux dans le sens de la longueur, puis en 4 ou 5 morceaux. Déposer dans un bol à l'épreuve de la chaleur.

Faire chauffer le sirop aux baies, le piment de la Jamaïque et le zeste d'orange dans une casserole de taille moyenne, à feu vif, jusqu'à faible ébullition. Verser le sirop bouillant sur les fraises tranchées. Bien mélanger, puis laisser refroidir. Lorsque la compote est entièrement refroidie, incorporer la menthe. Si vous ne la servez pas tout de suite, la couvrir et la conserver au réfrigérateur.

Lorsque la torte est complètement refroidie, la démouler dans une assiette à gâteau. Couper en 10 ou 12 parts égales, puis saupoudrer entièrement de cacao en poudre. Servir 15 à 30 ml (1 à 2 c. à soupe) de compote avec chaque part de torte. Garnir de copeaux de chocolat ou de crème fouettée.

SUGGESTION DE VIN
R. H. Phillips EXP Tempranillo
D'origine espagnole et encore inusité en Californie, ce cépage s'avère très intéressant au nez pour ses effluves de fruits mûrs et de noix, et en bouche pour ses saveurs de cerises. Mariage original et heureux avec cette gourmandise au chocolat.

L'équipe

Je remercie de tout cœur,
dans l'ordre habituel,
Christian Lacroix,
photographe montréalais
réputé qui a capté
ces images gourmandes,
et René Lemieux, qui nous
a patiemment assistés
de l'aurore au crépuscule.

Janine Saine

Catalogage avant publication
de la Bibliothèque nationale du Canada

Saine, Janine
Wineries de Californie : un art de vivre en 50 recettes
Comprend un index
ISBN 2-89455-151-7
1. Cuisine. 2. Établissements vinicoles - Californie.
3. Vinification - Californie.
4. Viticulture - Californie. I. Titre.
TX725.A1S22 2004   641.59   C2004-940218-8

Nous reconnaissons l'aide financière du gouvernement
du Canada par l'entremise du Programme d'Aide
au Développement de l'Industrie de l'Édition (PADIÉ),
ainsi que celle de la SODEC pour nos activités d'édition.

 Patrimoine Canadiar   Canadä   ODEC
canadien   Heritage   Québec

Gouvernement du Québec — Programme de crédit
d'impôt pour l'édition de livres — Gestion SODEC

© Guy Saint-Jean Éditeur Inc. 2004

Révision : Nathalie Viens et Jeanne Lacroix
Traduction des recettes : Dominique Chauveau
Conception graphique : Christiane Séguin

Photographie : Christian Lacroix
Photographies des pages 3 (R. H. Phillips), 6-7,
10-15, 91, 105-106 : Janine Saine

Dépôt légal 2e trimestre 2004
Bibliothèques nationales du Québec et du Canada

ISBN 2-89455-151-7

DISTRIBUTION ET DIFFUSION
Amérique : Prologue
France : CDE/Sodis
Belgique : Vander S.A.
Suisse : Transat S.A.

Tous droits de traduction et d'adaptation réservés.
Toute reproduction d'un extrait quelconque de ce livre
par quelque procédé que ce soit, et notamment par
photocopie ou microfilm, est strictement interdite
sans l'autorisation écrite de l'éditeur.

GUY SAINT-JEAN ÉDITEUR INC.
3154, boul. Industriel,
Laval (Québec) Canada. H7L 4P7.
(450) 663-1777.
Courriel : saint-jean.editeur@qc.aira.com
Web : www.saint-jeanediteur.com

GUY SAINT-JEAN ÉDITEUR — FRANCE
48, rue des Ponts,
78290 Croissy-sur-Seine, France.
(1) 39 76 99 43.
Courriel : gsj.editeur@free.fr

Imprimé et relié à Singapour